200701

PETIT MANUEL
DE SURVIE
FAMILIALE

Sous la direction de
Pierre-Yves Boily

PETIT MANUEL DE SURVIE FAMILIALE

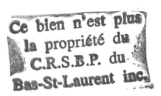
FIDES

Données de catalogage avant publication (Canada)

Petit manuel de survie familial

ISBN 2-7621-1659-7

1. Famille – Québec (Province).
2. Couples – Québec (Province).
3. Enfants – Québec (Province).
4. Jeunesse – Québec (Province).
5. Famille inadaptée – Québec (Province).
I. Boily, Pierre-Yves

HQ560.15.Q8P47 1993   306.85'09714   C93-097163-9

Dépôt légal: 4ᵉ trimestre 1993
Bibliothèque nationale du Québec
© Éditions Fides, 1993

Les Éditions Fides bénéficient de l'appui du Conseil des Arts du Canada
et du ministère de la Culture du Québec.

INTRODUCTION

Les journaux nous rapportent souvent des drames vécus dans les familles; conjointes battues ou tuées, enfants abusés ou abandonnés, pères sans travail et désespérés. Derrière les tragédies très médiatisées, se cachent une multitude de situations où des familles affrontent, au quotidien, de graves problèmes.

Des intervenants de la région de Québec racontent dans ce livre des cheminements souvent pénibles mais toujours libérateurs, de conjoints, de parents, d'enfants qui ont eu la sagesse de consulter et de se faire aider. Dans les vingt-trois récits qui suivent, les auteurs racontent des faits réels. Pour respecter la confidentialité, les noms, les âges et les lieux ont été changés.

Ce *Petit manuel de survie familiale* présente une brochette de défis que les familles affrontent un jour ou l'autre. Plus qu'une description, il veut partager une conviction profonde: chaque famille possède en elle-même les forces nécessaires pour améliorer la qualité de vie et pour bâtir l'harmonie avec les autres.

Écrit sans prétention, ce livre d'histoires vraies saura en rejoindre plusieurs qui, au détour de la vie, sont confrontés à des problèmes qui mettent en jeu la survie de leur famille.

Pierre-Yves Boily

Ti-Lou, 9 ans, fils de Geneviève.

Véronique, 15 ans, fille de Paul.

MAIS NON, C'EST PAS STUPIDE! Y'A DES HISTOIRES.

Mélanie, 4 ans,
fille de Geneviève

OUI, DES HISTOIRES VRAIES DE FAMILLES QUI VIVENT COMME NOUS DES HAUTS ET DES BAS.

Geneviève, 34 ans,
mère de Ti-Lou
et de Mélanie

VÉRONIQUE, PERSONNE NE T'OBLIGE À LE LIRE.

Paul, 46 ans, père
de Véronique et d'André

SI VOUS VOULEZ, LES ENFANTS, JE VOUS EN LIRAI QUELQUES-UNES.

Simon, 71 ans, grand-père
de Ti-Lou et de Mélanie.

ÇA PARAÎT QU'IL Y A UNE ANNÉE INTERNATIO- NALE DE LA FAMILLE: LES LIVRES SUR LE SUJET SORTENT DE PARTOUT.

André, 25 ans, fils de Paul,
époux de Julie et père de Babu.

Julie, 27 ans, épouse
d'André et mère de Babu

Raymonde, 59 ans,
grand-mère de Babu

Babu, 9 mois

MAUDE ET SIMON SE MARIENT

Thérèse Lane
travailleuse sociale
L'Équipe Pro-Sys inc., Sainte-Foy

En annonçant à leurs proches et à leurs amis: «On marie notre fille aînée», les parents de Maude prennent, sans le savoir, la responsabilité de l'organisation de la cérémonie et de la réception. La noce devient pour eux l'occasion de rendre des politesses à la parenté et à des amis qui les ont déjà invités aux noces de leurs enfants.

Il appartient à Simon et à Maude de rétablir les faits, dès le départ: «Simon et moi avons décidé de nous marier.» En s'exprimant ainsi, ils indiquent clairement qu'ils assument les responsabilités de la noce.

Le seul pouvoir des parents est de déterminer le montant qu'ils peuvent débourser pour cette célébration. Il appartient ensuite à Maude et à Simon de prendre les décisions en fonction des moyens dont ils disposent.

Même en devenant des conjoints, Simon et Maude demeurent des individus à part entière. Chacun délimite son territoire et se fait respecter avec ses besoins, ses intérêts et ses limites. Voici comment ils ont appris cela.

Maude, 31 ans, est infirmière à plein temps, dans un centre d'accueil et Simon, 29 ans, est vendeur d'automobiles à temps partiel. Ils ont décidé de se marier au mois de septembre. Ils se fréquentent depuis un an et demi et chacun vit dans son appartement. En juillet, Maude et Simon demandent une consultation à une travailleuse sociale: «On sent une grosse tension, depuis un mois. On a peur de s'engager. Je me sens divisée entre ma mère qui me fait beaucoup de mises en garde et Simon qui tente de me rassurer de son mieux.»

Simon est le troisième d'une famille de cinq enfants. Son père était un homme de la terre et sa mère, une femme de la ville. Ayant toujours été l'enfant préféré de son père, c'est avec beaucoup de peine qu'il a vécu, à l'âge de 12 ans, le divorce de ses parents. À 21 ans, il quitte sa famille pour occuper un poste d'infirmier en centre hospitalier dans une région éloignée. Cinq ans plus tard, il revient dans sa famille pour un congé dû à un épuisement professionnel. Ce retour à la maison familiale est l'occasion de multiples frustrations et d'accrochages nombreux avec ses frères, ses sœurs et sa mère, en particulier. Il décide alors de quitter le noyau familial pour s'installer en appartement et voler de ses propres ailes.

Maude est l'aînée d'une famille de deux enfants. Ses parents vivent sur une ferme très productive. L'argent, pour eux, est une valeur de base. Maude a toujours laissé sa mère prendre beaucoup de place dans ses liaisons amoureuses. «Ma mère, c'était la Vérité», dit-elle. Même si Maude n'a jamais accepté le type de relation qui se vivait entre ses parents (la conjointe qui dirige et décide tout et le conjoint qui la laisse tout gérer et qui se soumet), ses relations amoureuses reproduisaient ce modèle.

Cette fois-ci, c'est différent. Simon refuse que Maude vienne empiéter sur son territoire. Il tient à être respecté en tant que partenaire égal et à être traité ainsi. Alors, c'est la tension. Il y a beaucoup de discussions et de confrontations. Maude lui fait des remontrances pour son manque d'ordre, elle veut l'influencer dans le choix de ses vêtements ou elle le critique parce qu'il écoute souvent des émissions sportives. Simon trouve cela inacceptable, ça ne passe pas. Il revendique sa place, il refuse qu'elle le traite en inférieur.

Maude se sent très ébranlée par l'affirmation de Simon, mais elle apprécie par ailleurs ce type de relation qui la libère d'un pouvoir de domination auquel elle ne tient absolument pas.

Au moment où ils viennent demander de l'aide, ils veulent vérifier si toutes leurs tensions sont normales. De plus, Maude veut apprendre à couper le cordon avec sa famille, tout particulièrement avec sa mère. En effet, sa mère la questionne sur le fait que Simon choisisse un emploi à temps partiel plutôt technique et à statut précaire alors qu'il détient une formation universitaire. «Il va se fier sur ton salaire pour vivre», lui dit-elle, en confidence. De plus, la mère de Maude se permet de disqualifier la plupart des décisions qu'ils prennent relativement à la cérémonie et à la réception de leur mariage. Tout y passe: le nombre des invités, le choix du célébrant, l'endroit de la réception, l'habillement, les conducteurs, etc.

Au fil des rencontres, Maude a appris à faire équipe avec Simon et à privilégier leurs choix. Les critiques et les intrusions des deux familles ont servi de prétexte à Maude et à Simon pour redéfinir leurs liens avec eux, pour développer une complicité et établir les bases de leur projet commun. Maude a utilisé les mises en garde de sa mère concernant le travail de Simon pour clarifier avec lui leurs points de vue respectifs, leurs attentes et leurs limites. Tout en s'efforçant de définir ensemble leurs limites par rapport à leurs familles, ils ont continué à délimiter leur territoire respectif l'un vis-à-vis de l'autre en acceptant les tensions que cela suscite.

Maude respecte le fait que Simon ait besoin d'une bonne demi-heure, seul, sans parler, en revenant de son travail tout comme Simon a appris à se rendre disponible pour échanger avec Maude. Simon a accepté de réduire son temps d'écoute d'émissions sportives et Maude ne le critique plus. Ils ont également conclu une entente acceptable au sujet des parties de pêche auxquelles Simon tient absolument.

Simon et Maude sont mariés depuis deux ans déjà. Simon affirme qu'au cours des six premiers mois de leur vie commune, il n'avait aucun intérêt pour les tâches ménagères. Maude écopait de tout. Depuis qu'ils sont installés dans leur maison, c'est différent. Il se sent chez lui, enfin. Les responsabilités sont partagées et assumées. Comme ils projetaient d'acquérir une maison à très court terme, ils s'étaient installés dans l'appartement de Maude pour les premiers mois. Même s'ils avaient prévu les problèmes d'adaptation que cette réalité susciterait pour Simon, il s'est toujours senti «chez Maude», non responsable, non concerné.

Depuis un an, Simon a repris un emploi à mi-temps comme infirmier tout en maintenant son travail de vendeur à temps partiel. Il est très heureux de cette situation.

Maude et Simon ont compris qu'en diminuant la fréquence et surtout la durée de leurs visites dans leurs familles, ils empêcheraient particulièrement la mère de Maude, de se mêler de leur relation conjugale.

Maintenant qu'ils ont atteint un certain équilibre en tant que couple, ils commencent à envisager d'avoir un premier enfant.

C'EST LA FAMILLE D'OÙ ON VIENT, CELLE OÙ ON VIT SON ENFANCE.

C'EST LA FAMILLE QU'IL FAUT QUITTER POUR ÊTRE VRAIMENT LIBRE!

DANS CE CAS, LA PROCHAINE HISTOIRE VA VRAIMENT T'INTÉRESSER.

ALEXANDRE, LE PETIT MONSTRE

Guylaine Beaumier
travailleuse sociale
CLSC Arthur-Caux, Laurier-Station

Il y a sept ans, alors qu'elle accompagnait sa seule amie à une soirée dansante, Solange rencontre Raynald à la salle communautaire de son village. Raynald, un homme timide et sérieux, était avec un ami, cousin de Solange.

Solange est la cadette d'une famille de six enfants. Elle habite seule avec sa mère et n'occupe pas d'emploi à l'extérieur. Thérèse, sa mère, est une femme protectrice qui a élevé pratiquement seule ses six enfants. Solange n'est pas convaincue, comme sa mère,

que les hommes sont égoïstes et sans-cœur. Elle souhaite beaucoup rencontrer l'homme avec qui elle fera
sa vie, ce qui lui permettra de quitter la maison familiale. Mais les années s'écoulent. Solange qui a 28
ans, commence à croire que sa mère a raison; trou-
vera-t-elle jamais un homme qui l'aimera?

Même si Solange aime rêver, elle sait qu'elle ne
correspond pas à l'image de la princesse grande,
mince, au teint de pêche... Au contraire, elle est
courte, corpulente et un de ses bras est paralysé.

D'un naturel peu bavard, Raynald est direct
dans ses idées et dans ses propos. Pour lui, la vie est
simple et il croit que pour avoir ce que l'on veut, il
faut travailler. Raynald, qui a maintenant 32 ans, a
été élevé à la dure. À peine son primaire teminé, il a
travaillé pour assurer sa survie et celle de ses quatre
jeunes frères et sœurs.

Cette première soirée entre Solange et Raynald
amorce une longue série de rencontres. Dix mois plus
tard, ils célèbrent leur mariage et s'installent dans un
petit logement près du lieu de travail de Raynald à
une quarantaine de minutes en auto des parents de
Solange.

Cet événement crée beaucoup de remous. Thérèse
avait prévu que le couple s'installerait chez elle.
Lucienne et Albert, les parents de Raynald, souhai-
taient également que le couple vienne habiter chez

eux pour des raisons économiques et pour l'entretien de la maison. Pour Solange et Raynald, la décision a été difficile à prendre. Solange vit ainsi beaucoup de sentiments contradictoires. D'une part, elle craint de se retrouver seule si son ménage échoue. Thérèse l'a avertie que si elle partait, ce serait pour toujours et qu'il ne serait pas question qu'elle revienne vivre avec elle le jour où Raynald la quitterait. D'autre part, le goût de l'autonomie, de la liberté est rafraîchissant pour elle.

Raynald, quant à lui, est inquiet des conséquences de son choix sur la situation de ses parents. Il s'est fait dire trop souvent que sans lui, la famille n'existerait plus.

L'impression de commencer une nouvelle vie ne les quitte pas tout au long des semaines. Les téléphones quotidiens de Thérèse, de Lucienne ou des sœurs de Raynald entretiennent leur sentiment de culpabilité mais ne leur font pas remettre en question leur décision. Solange et Raynald se sentent très près l'un de l'autre.

La naissance de Marie-Claude, dix mois après leur union, concrétise leur bonheur et entraîne de plus en plus Raynald dans le travail. Avec cette nouvelle expérience, Solange requiert l'assistance de sa mère plus qu'elle ne le souhaiterait. Les absences prolongées de son mari et les soins au bébé créent une grande incertitude. Solange se sent seule et délaissée par son mari. De son côté, Raynald est très pris par sa famille. Une crise importante frappe tout le monde; une situation de violence ayant entraîné la mort paralyse sa famille d'origine.

Alexandre voit le jour alors que Marie-Claude a quatorze mois. Solange a de la difficulté à récupérer. Elle est épuisée mais Raynald ne voit plus rien de ce qui se passe autour de lui. Pour les soulager, Thérèse organise le déménagement de la famille près de chez elle.

La situation devient de plus en plus lourde avec les enfants, surtout Alexandre. Solange constate qu'elle ne sort plus tant Alexandre est difficile. Elle ne va même plus à l'épicerie, chez sa sœur au village ou chez la voisine. Seul Raynald a des contacts avec l'extérieur. Celui-ci ne comprend pas pourquoi son épouse ne sort plus avec les enfants. Pour Raynald, Solange n'a qu'à être plus sévère, c'est tout. Plus Raynald affirme ne pas avoir de difficulté avec Alexandre, plus Solange en éprouve.

Alexandre est violent avec sa mère. Il lui donne des coups de pied, la frappe avec ce qui lui tombe sous la main, lui crie des injures et va jusqu'à cracher sur elle. Alexandre est le maître de la maison; il mange ce qu'il veut, au moment où il le désire, prend ou donne les jouets de Marie-Claude selon ses humeurs; il la terrorise. Ses crises de colère augmentent en nombre et en intensité jusqu'à ce qu'il en perde conscience.

Solange est paralysée face à son fils. Elle ne le punit plus. Les meubles de la maison sont passablement abîmés. Alexandre n'est plus envoyé dans sa chambre car, à ces moments-là, il sort tous ses vêtements des tiroirs et urine dessus. Solange et Raynald se retrouvent parents d'un petit monstre de 3 ans. Ce n'est pas ce à quoi ils s'étaient préparés.

La crise éclate au moment où, plus exaspérée que jamais, Solange frappe Alexandre en présence de Thérèse. En plus de vivre toute la culpabilité d'avoir frappé son fils, Solange est injuriée par sa mère qui va jusqu'à prétendre que la famille de Raynald l'a influencée au point que la prochaine fois, elle va essayer de tuer ses propres enfants.

Lorsque Solange rapporte les événements à son mari, celui-ci confie la garde des deux enfants à Thérèse. Ils sont désemparés devant l'ampleur de leurs difficultés et l'importance de leur échec. C'est à ce moment qu'ils demandent de l'aide.

En y réfléchissant tous les deux, ils se rendent compte de ce qui leur arrive. Tout comme ils n'ont pas le pouvoir ou le contrôle sur Alexandre, ils ne l'ont pas sur leur vie. Thérèse avait décidé de la robe de mariée de Solange, elle avait fait les invitations et choisi l'heure de la cérémonie; elle a fait déménager la famille près de chez elle, etc.

Étant donné l'état actuel des choses, prendre de la distance par rapport à Thérèse était difficilement réalisable pour Raynald et Solange. Ils se sentaient trop fragiles comme couple pour entreprendre quoi que ce soit concernant leur entourage. Leur énergie a été centrée sur ce qui se passait à la maison avec les enfants.

La première étape a été de voir Alexandre autrement. Alexandre représentait pour Solange et Raynald leur échec comme parents et leur incompétence à rendre leurs enfants heureux. Avec du soutien, ils ont été en mesure de percevoir Alexandre autrement. Raynald et Solange ne voient plus leur fils comme un petit diable confirmant leur échec; ils en sont venus à le considérer comme un enfant ayant besoin d'être guidé et aidé dans ses apprentissages. L'utilisation de la métaphore suivante a été déterminante pour eux.

Mésaventures d'un jeune mineur blessé

Il était une fois un garçon espiègle, n'ayant peur de rien, ni de personne. Un jour, il décide de partir à la découverte d'un grand tunnel près de chez lui. Sans en informer ses parents, il part à l'aventure et s'enfonce dans la noirceur du trou. Rapidement, il ne voit plus rien (myopie sévère du père) et doit se servir de ses mains pour avancer. Il n'en faut pas plus au garçon pour faire une chute et se blesser à un bras (paralysie de la mère).

Ne trouvant plus leur garçon, le père et la mère partent à sa recherche et le retrouvent en larmes et apeuré tout près de l'entrée du tunnel. Après quelques jours, l'enfant retourne au tunnel accompagné de ses parents qui le guident et lui enseignent comment utiliser les barrières de sécurité indiquant le chemin que l'on doit prendre pour arriver sain et sauf de l'autre côté du tunnel.

Très rapidement, Solange et Raynald ont convenu de l'aide à apporter à leur fils et des moyens à prendre. De ce fait, un rapprochement relié à leur rôle parental s'effectue et consolide leur sentiment de cohésion, de soutien et de reconnaissance de leurs capacités.

Ensemble et individuellement, ils dégagent plus d'assurance. À tel point qu'après quelques jours, le comportement d'Alexandre se modifie considérablement. Curieusement, plus la situation s'améliore à la maison, mieux Solange se sent et plus Thérèse téléphone.

Contrairement à ce qui se passait avant, Solange prend de la distance face aux propos de sa mère et se fait confirmer dans ses attitudes par son conjoint. Les barrières de sécurité s'installent, les enfants se sentent rassurés et après quelques soubresauts, la situation revient à l'ordre.

Pour contrôler l'extérieur, Solange et Raynald changent leur numéro de téléphone pour un numéro confidentiel, s'inscrivent à une ligue de quilles et font garder les enfants par des gens qui ne font pas partie de la famille. Petit à petit, ils reprennent contact avec les membres des deux familles et établissent leurs limites: ceux-ci peuvent venir les visiter sur invitation seulement; il n'y a plus de téléphone aux heures des repas; avant de donner quoi que ce soit aux enfants, les parents doivent être consultés...

Avec beaucoup de volonté et de détermination, Solange et Raynald ont résisté ensemble aux nombreuses tentatives des membres des deux familles de revenir au fonctionnement d'avant.

Actuellement, deux ans après avoir demandé de l'aide, la famille passe inaperçue au milieu d'autres familles. Solange et Raynald occupent pleinement leur place de parents; ils s'entendent sur les principes d'éducation de leurs enfants, discutent entre eux avant de chercher des avis à l'extérieur, maintiennent jusqu'au bout leurs décisions. Comme couple, ils ont un accès direct entre eux; ils se donnent du temps d'intimité (ils ont enlevé les photos de leurs parents de leur chambre à coucher); ils s'accordent du répit et se sont fait des amis.

Le plus important, c'est qu'ils sont devenus adultes. Ils ont établi des frontières entre eux et chacun de leurs parents. Ce faisant, Solange et Raynald obligent leurs parents à les considérer autrement. Pour maintenir un tel changement, Solange et Raynald ont dû se placer eux-mêmes dans un rôle d'adulte et se détacher de l'emprise de leur propre milieu. De cette façon, ils reconnaissent leur propre valeur, ont confiance en leurs capacités et savent reconnaître leurs limites. Les enfants ont réglé une grande partie de leurs difficultés de relation avec les autres enfants en voyant leurs parents se faire des amis; ils sont moins tendus et inquiets puisqu'ils savent qu'ils peuvent compter sur leurs parents pour les aimer, les guider et les contrôler.

QUAND LES CLÔTURES NE SONT PAS ASSEZ HAUTES, LES PETITS VEAUX SAUTENT PAR-DESSUS.

ENCORE UNE GRAND-MÈRE QUI SE MET LE NEZ DANS LES AFFAIRES DES AUTRES! J'ESPÈRE QUE TOUTES LES HISTOIRES NE SONT PAS COMME ÇA.

NE VOUS INQUIÉTEZ PAS: LA PROCHAINE RACONTE LA VIE D'UNE FAMILLE D'IMMIGRANTS ET IL N'Y A PAS DE GRAND-MÈRE EN VUE

PAR LE CHEMIN
LE PLUS LONG

Lucille Doiron
intervenante communautaire, Québec

Pendant près d'un an, j'ai séjourné à Montréal pour m'occuper de ma mère qui était malade. J'y ai fait la connaissance de Yasmine qui venait visiter une vieille dame polonaise hospitalisée elle aussi.

Nous avons parlé de sa venue au Québec et des problèmes qu'elle a vécus: son intégration difficile, sa vie conjugale pénible, la rentrée scolaire de sa fille, etc. Malgré la barrière de la langue, j'ai pu découvrir peu à peu la famille de Yasmine et de Josef.

Josef a 50 ans, il est citoyen canadien depuis plus de 25 ans, sa famille vit disséminée en Ontario, aux États-Unis et à Montréal. Actuellement, il est propriétaire d'une importante chaîne de boutiques d'importations. Il parle polonais et anglais.

Vers la fin des années 1960, Josef cohabite avec une Québécoise. Ils auront ensemble deux enfants. Au moment de leur séparation, leur bébé n'ayant que quelques mois, il fait don à sa compagne d'une maison, d'un terrain et d'une voiture.

C'est à son retour en Pologne, après plusieurs années au Québec, qu'il rencontre et épouse Yasmine selon la loi matrimoniale du pays. Leur première fille, Marinka, naît en décembre 1984. Josef décide de revenir à Montréal en 1987. Une fois sa famille installée, il laisse Yasmine se débrouiller seule avec Marinka et il part travailler dans une autre ville.

De retour à Montréal, il ouvre une boutique. En février 1988 naît un deuxième enfant et, en 1990, un troisième. Le couple fait pourtant chambre à part depuis la première grossesse et Josef a toujours une maîtresse en ville. En 1989 et 1990, il ouvre de nouveaux magasins alors que sa petite famille loge dans un appartement minable. Ce n'est qu'après la naissance du dernier enfant que Josef achète une maison neuve en banlieue.

Yasmine, 32 ans, est originaire d'une humble famille polonaise. Son mariage a été «arrangé» par la sœur de Josef et son père à elle. Citoyenne canadienne depuis son arrivée au pays, elle vit isolée, sans famille, sans amie. Le couple rencontre peu de Polonais résidant à Montréal. Une travailleuse sociale polonaise travaillant à l'immigration leur sert d'interprète.

Dès son arrivée à Montréal, Yasmine fréquente un organisme multiculturel pour apprendre le français, mais elle abandonne rapidement pour faire des ménages dans les immeubles environnants. Elle doit subvenir à ses besoins puisque Josef, étant à l'extérieur de la ville, ne lui envoie pas d'argent.

Après la naissance de Karol, le deuxième enfant, elle essaie de se noyer. Son travail est épuisant; elle vit la solitude, l'ennui, l'impuissance et la dépression. Josef veut divorcer, mais elle refuse ne connaissant ni la langue, ni les lois, ni les coutumes du Québec. En apprenant l'existence de la maîtresse de son mari, elle tente de se suicider une seconde fois en ingurgitant de l'eau de Javel. Josef parle de nouveau de divorce mais elle refuse toujours à cause de son manque d'autonomie. Elle continue de faire des ménages durant de longues heures, chaque jour et tard en soirée en plus de faire l'épicerie, la cuisine, l'entretien chez elle et de s'occuper de ses enfants qui l'accompagnent partout. Josef est de plus en plus souvent absent et ne rentre que vers le matin.

En 1990, Josef veut inscrire Marinka à l'école anglaise mais sa demande est refusée à cause de la loi du Québec. Elle entre donc à la maternelle française. La fillette ne parle que le polonais, ne connaît rien de l'école et n'a jamais joué avec d'autres enfants que Karol. Elle ne comprend donc rien et manifeste de sérieux problèmes de comportement: il lui arrive de se blesser volontairement. Mais Marinka aime l'école même si l'intégration est difficile.

L'école, ayant opté pour la non-confrontation, laisse Marinka apprendre par l'observation et l'imitation. Peu à peu, les enfants l'acceptent et l'entourent. De septembre à décembre Marinka reçoit des leçons de français avec d'autres enfants immigrants. Cependant, elle n'apprend strictement rien car à chaque fois qu'on la retire de son groupe elle fait une crise.

Lors du retour en classe en janvier, la direction de l'école fait venir la famille avec l'interprète pour rencontrer le travailleur social de l'école, le professeur de Marinka ainsi qu'une pédagogue en mesures d'accueil. Ensemble ils essaient de voir ce qui serait le plus pertinent pour aider l'enfant et sa famille à mieux s'intégrer au milieu. On propose à la mère deux solutions: de venir à l'école avec les enfants pour les leçons de français de Marinka ou que Denyse, la pédagogue en mesures d'accueil, aille chez eux donner des leçons de français à toute la famille.

Ils acceptent la deuxième solution. Denyse s'y rend trois fois par semaine au début et cinq fois ensuite. Elle accompagne aussi Marinka en classe deux heures par semaine pour lui permettre d'utiliser les notions apprises à la maison.

Josef n'assiste aux rencontres à la maison que lorsqu'il est en congé, mais il s'intéresse peu à ce qui se passe. Yasmine et les enfants ont commencé avec quelques illustrations et beaucoup de gestes à apprendre quelques mots. Quel chantier!

Denyse s'aperçoit graduellement que la famille vit sans structure, ni discipline. Il n'y a d'heure pour rien. Marinka arrive souvent en retard à l'école, n'a pas déjeuné et «dort debout» parce qu'elle écoute jusque tard dans la nuit des films vidéo d'une violence inouïe. Plusieurs échanges ont lieu entre les parents et les intervenants de l'école concernant la discipline et l'heure du coucher en particulier. C'est peine perdue jusqu'au jour où une travailleuse sociale de la Direction de la Protection de la Jeunesse (D.P.J.) se présente avec une interprète polonaise. Des voisins avaient porté plainte disant que les enfants veillaient tard le soir et parfois la nuit. De plus, les enfants dorment avec leur mère puisque Josef n'a jamais acheté de couchette pour les bébés. Yasmine découvre pour la première fois qu'une loi au Québec protège les enfants.

Les enfants n'ont pas le sens de la propriété. Ils ont tout ce qu'ils veulent, peu importe ce que c'est et à qui cela appartient. Quel drame lorsque Denyse refuse que les enfants fouillent dans son sac ou touchent à ses effets personnels. Marinka faisait des colères terribles à la maternelle lorsqu'elle devait remettre les choses prises dans les casiers des autres enfants. Elle ne comprenait pas pourquoi elle ne pouvait pas les garder. Pourtant Denyse a souvent expliqué aux parents qu'il fallait parfois dire «non» à un enfant même s'il pleurait. Pour eux, c'est une forme d'amour que de ne rien refuser. Il a fallu expliquer souvent et longuement la notion de «prêt», la nécessité de retourner les livres à la bibliothèque, de ne pas laisser Karol et le bébé jouer avec le matériel scolaire de Marinka ni d'écrire dans ses livres. Graduellement des pas ont été faits.

Yasmine vit occasionnellement des périodes de profonde dépression. Un après-midi, elle raconte à Denyse sa détresse, l'existence de la maîtresse de Josef, sa troisième grossesse non désirée et sa grande solitude. Elle s'ennuie de sa famille, n'a pas d'amie et son mari veut toujours divorcer. Elle se sent littéralement démolie. Ce jour-là, elle se défoule en frappant à grands coups de couteau dans la porte de la chambre de Josef qu'il verrouille avant de partir pour le travail. De plus, quand elle essaie de le rejoindre par téléphone, il n'est dans aucune boutique et elle ignore où il se trouve. Elle répète sans cesse «moi vouloir être mort».

À partir de ce jour-là, elle s'ouvre davantage à Denyse et au professeur de Marinka qui l'écoutent et lui manifestent de la compréhension et de la solidarité. Il faudra résoudre le problème de la langue pour l'aider à sortir de son isolement. Les intervenants croient en elle et l'encouragent à poursuivre ses efforts. Ils croient en des jours meilleurs et transmettent à Yasmine un peu de leur assurance.

Cet automne-là, Yasmine veut prendre des cours de conduite automobile afin de demander une voiture si jamais il y avait divorce et être ainsi plus autonome pour se déplacer avec les enfants. Avec une monitrice bénévole, commence le long apprentissage de la signalisation routière et des lois de la circulation. Malheureusement, elle échoue à son examen. On lui propose de continuer d'apprendre et de se présenter à une reprise. Quelques mois plus tard, Josef affirme qu'elle ne veut plus continuer. D'ailleurs, il est très heureux qu'elle ait raté son examen. Il ne l'a jamais encouragée et n'aime pas beaucoup l'influence de Denyse et de la monitrice sur sa femme. Yasmine avoue qu'elle abandonne parce qu'il ne veut pas l'aider, ni lui prêter l'auto pour s'exercer, ni garder les enfants pour qu'elle aille à ses leçons. Avec ou sans permis, il ne lui laissera jamais conduire *son* auto. Après un bon moment d'échange avec la monitrice de l'école de conduite, elles conviennent de laisser tomber pour le moment et de reprendre quand elle connaîtra mieux le français.

Peu de temps après cet échec, Denyse se rend comme à l'habitude chez les Polonais. Lorsqu'elle arrive cet après-midi-là, Yasmine est malade. Elle a vomi sur le plancher de la cuisine le contenu d'une bouteille d'iode qu'elle avait bu un peu plus tôt. Elle est malade, désespérée, à bout. Elle se sent loin des siens, pas aimée, pas considérée, pas importante et abusée par son mari. Elle se sent dépassée par les événements. De plus, elle interprète sa troisième grossesse comme une manigance de la part de son mari pour la garder à la maison. Ils avaient conçu ce bébé durant leurs vacances d'été, lors d'un voyage en Gaspésie. Elle avait cru à un retour de son mari à de meilleurs sentiments, mais aussitôt rentré de vacances, Josef retourne chez sa maîtresse. Quelle désillusion! Yasmine raconte aussi qu'ils n'ont eu que trois relations sexuelles depuis la naissance de Marinka! Yasmine est amère, elle en veut à Josef de l'avoir épousée et amenée dans ce pays étranger, de lui manifester si peu d'attention et d'affection et de la garder dans l'ignorance des lois et des coutumes du Québec.

Avec Denyse, elle apprend une foule de choses comme le sens de la fête de Noël, de la Saint-Valentin, de Pâques, de la fête des Mères et des Pères; elle se familiarise aussi avec le système de poids et mesures d'ici, l'impôt, l'aide juridique, l'aide sociale et la loi en matière de séparation et de divorce. De plus, elle découvre grâce à Denyse, l'existence de ressources pour les femmes immigrantes et des façons d'aller chercher de l'aide. Puis elle apprend qu'en tant que citoyenne canadienne, elle est protégée par les lois comme n'importe quelle femme au Québec. C'est pour elle toute une révélation! Bien sûr, il a fallu plusieurs visites et plusieurs heures pour lui faire comprendre tout cela, la barrière de la langue rendant toujours beaucoup de choses difficilement compréhensibles.

Yasmine, après maintes discussions avec son mari qui ne veut rien entendre, décide d'aller à l'hôpital avec le bébé de quatre mois pour son premier vaccin. Pendant que Josef est parti faire des courses avec Karol et que Marinka est à l'école, elle se rend à l'arrêt d'autobus. Malheureusement, il l'aperçoit, la fait monter dans la voiture et ils retournent à la maison. Il est furieux qu'elle ait osé le défier. Après une discussion orageuse, où elle lui rappelle ses responsabilités de père auprès des enfants qu'il néglige, il essaie de la noyer dans la toilette. Elle réussit à se dégager en lui cassant un orteil! Elle a bien pensé y rester. Le même jour, Yasmine a raconté à Denyse la situation, de façon non verbale, puisque Josef est présent. Le lundi suivant, Denyse lui explique le cycle de la violence, la protection policière, la loi au Québec dans ces cas-là, et le secours qu'offrent les maisons d'hébergement pour femmes immigrantes. Elle insiste fortement sur le fait que son conjoint n'a pas le droit de la violenter, ni elle, de se laisser faire. Yasmine retient de mémoire les numéros de téléphone importants, promet de s'enfuir de la maison et de demander du secours si jamais quelque chose du genre devait se reproduire.

Les jours qui suivent sont plus sereins. Elle sait maintenant qu'il y a des recours possibles. Elle sait aussi qu'il y a des interprètes polonaises qui peuvent l'accompagner dans ses démarches si elle a besoin d'aide. Un nouvel espoir renaît; elle entreprend avec prudence sa route vers l'autonomie afin que Josef ne découvre pas le travail d'accompagnement qui se fait en plus des leçons de français. Yasmine veut se renseigner et trouver des moyens de parler avec son mari en toute connaissance de cause. Elle ne veut plus mourir mais devenir autonome et donner aux enfants ce qu'elle a de meilleur. Elle réfléchit beaucoup et pèse le pour et le contre d'un divorce éventuel: la garde des enfants, le coût d'un loyer et de la vie quotidienne, etc. Elle regarde les journaux, découpe les noms des notaires ou des avocats qui offrent des services en polonais. Elle veut être en mesure de faire respecter ses droits sans se laisser avoir. Elle réfléchit aussi à la possibilité d'une cohabitation pacifique avec un conjoint qui a une maîtresse, question de laisser les trois enfants grandir et fréquenter l'école. D'ici là, elle aura appris la langue, les mœurs du Québec et elle sera plus en mesure de s'organiser.

Yasmine redouble d'ardeur dans l'apprentissage de la langue et se procure de bons dictionnaires. Elle veut tellement devenir autonome! Son ambition la pousse parfois à être trop exigeante envers Marinka. Il lui arrive de la traiter sévèrement lorsqu'elle refuse de bien travailler. Un jour, elle jette à la poubelle le beau Valentin que sa fille avait confectionné à l'école. Croyant que Marinka s'était amusée au lieu d'étudier, elle l'a disputée et un peu malmenée. Yasmine ne connaît pas la coutume «des cœurs de Cupidon». Quand le professeur lui en explique le sens, des larmes silencieuses coulent. Elle s'excuse auprès de son enfant, promettant de fixer l'an prochain le Valentin sur le «frigo». Un nouvel apprentissage de nos coutumes...

Depuis que Yasmine sait que la D.P.J. protège les enfants, elle est plus patiente. Depuis qu'on parle avec elle, qu'on la comprend, qu'on la valorise pour le moindre succès, elle devient moins agressive avec ses enfants. Elle acquiert de plus en plus de confiance en elle-même. Il faut reconnaître qu'apprendre une langue, faire faire les devoirs et les leçons de Marinka avec les autres enfants, en plus de tout le reste, ce n'est pas une tâche facile. Son manque d'organisation et de discipline ne l'aident pas non plus.

Lorsque Marinka entre en première année, une nouvelle étape commence. Au lieu d'une heure de français avec la famille et surtout avec l'enfant, l'école offre du soutien aux parents pour leur apprendre à s'occuper des devoirs et des leçons de Marinka. L'intervenante leur apprend aussi à comprendre les messages venant de l'école et stimule leur participation. Denyse travaille surtout avec la mère et, après le souper, Yasmine travaille avec sa fille. Marinka fonctionne aussi bien que les autres enfants de sa classe et Yasmine se sent très valorisée d'y contribuer. On essaie d'intéresser le père et de le persuader de collaborer, ne fût-ce qu'en s'occupant des deux plus jeunes durant l'heure des devoirs et des leçons. Les résultats sont minces mais occasionnellement il aide Marinka en calcul et mathématiques, surtout avant les bulletins. C'est avec cette rentrée scolaire que Yasmine cesse les ménages à l'extérieur.

Un jour, une voisine donne à Marinka un petit pupitre. Quelle joie! Elle le place dans la chambre où ils dorment tous les quatre. Yasmine a installé une lampe, les livres et le magnétophone avec les cassettes de français afin que sa fillette puisse travailler plus tranquille. La mère dort maintenant dans une autre pièce avec les deux petits. Marinka peut dormir toute la nuit sans être réveillée. À l'école, la semaine suivante, elle est de fort bonne humeur, attentive et plus que jamais intéressée à collaborer. Tout n'est pas parfait pour autant. Il arrive encore qu'elle vienne à l'école les «yeux collés», pas coiffée et maussade. Le professeur sait alors qu'elle s'est couchée tard. Un petit message aux parents et les choses se replacent. L'important dans cela, c'est de maintenir une demande, exiger peu et y tenir. Même les petites victoires sont stimulantes.

Karol comprend maintenant qu'il n'a pas la permission de toucher aux choses de sa sœur. Il a ses livres à lui identifiés à son nom qu'il reconnaît. Yasmine commence à lui faire écouter les premières cassettes que Denyse a enregistrées pour lui apprendre le français. Elle lui fait nommer des choses en français, saluer les gens, etc. Lorsqu'il arrivera à la maternelle, un bon bout de chemin sera accompli. C'était d'ailleurs le principal objectif de Denyse. Yasmine dit «non» plus souvent qu'avant, même si l'enfant pleure. Josef, lui, n'a pas encore accepté ce changement. Peut-être qu'un jour...

En novembre, Yasmine se rend seule à l'école pour chercher le bulletin de Marinka et rencontrer les professeurs. Un autre jour, elle téléphone pour informer que sa fille malade n'ira pas en classe. Quel progrès! Elle comprend les messages simples, peut répondre au téléphone sans paniquer et ajoute de nouvelles expressions à son vocabulaire à l'aide de son dictionnaire. Elle a pris de l'assurance et se sent plus dégagée. Spontanément, elle salue les gens dans la rue, au magasin, à l'école. Une ombre au tableau, Marinka connaît mieux le français qu'elle. Parfois, elle est déçue de ne pas progresser au même rythme que sa fille; elle se sent menacée dans son autorité parentale. Marinka ne veut pas toujours faire ses travaux scolaires avec sa mère parce qu'elle n'explique pas comme le professeur. De plus, les explications se font souvent en polonais. Josef a demandé à Denyse de remplacer Yasmine dans cette tâche. Denyse a refusé en leur expliquant qu'il y avait aussi des enfants québécois qui réagissaient de la même façon et que Yasmine réussirait très bien à expliquer ce qui était demandé par le professeur.

Marinka a grandement amélioré son comportement. Son intégration sociale se fait très bien. Elle est aimable et est aimée des autres enfants. Son arrivée à l'école a été ponctuée pendant plusieurs mois de «non». Maintenant, elle dit «oui» plus souvent; elle est plus responsable et organisée; elle boude moins et devient plus autonome. Elle participe davantage aux activités de l'école et s'exprime de plus en plus en phrases simples mais assez complètes.

Un jour, par hasard, Yasmine découvre qu'il n'y a rien pour elle, ni pour les enfants, dans le testament de son mari. Elle craint qu'un jour, il ne donne la maison à sa maîtresse ou aux enfants de sa première femme. Ces derniers viennent visiter leur père qui leur envoie souvent de l'argent. À la demande de Yasmine, Josef accepte de mettre la maison au nom des enfants dans la mesure où elle veut bien lui donner les vingt mille dollars qu'elle a économisés depuis son arrivée au Canada. (Il faut dire qu'ils vivent comme des pauvres.) Denyse lui propose qu'une entente soit signée chez un notaire car le formulaire de la banque indique que Josef est propriétaire de la maison puisque c'est lui qui a fait affaire avec l'entrepreneur et la banque.

Pour ne pas susciter la colère de Josef, Yasmine lui donne tout son avoir en lui faisant confiance. Lorsqu'elle lui parle d'aller chez le notaire pour faire le transfert de la propriété aux enfants, Josef prétexte qu'il n'a pas le temps, qu'il est fatigué, qu'il a trop de travail, etc. Les disputes se multiplient. Yasmine est atterrée et son compte en banque est vide. Sa seule sécurité s'est envolée.

Après quelques jours, elle téléphone à l'interprète polonaise et lui demande de se renseigner chez un avocat pour savoir ce qui lui est possible de faire. Elle explique aussi toute la situation conjugale et familiale depuis son mariage. Une fois bien renseignée, Yasmine affronte Josef. Elle lui donne le choix: ou bien il lui donne la maison légalement ou bien elle ira travailler et il devra s'organiser avec les enfants. Elle est fermement décidée à agir. Devant cette assurance de sa femme, Josef accepte la rencontre chez le notaire et remet la maison à Yasmine. Maintenant, elle se sent en sécurité et elle est rassurée parce que cette menace de perdre la maison ne plane plus sur elle.

Yasmine s'affirme de plus en plus. Elle est rayonnante et prend goût à la vie. Elle a commencé à coudre pour les enfants et part avec eux pour de longues randonnées à bicyclette. Elle aime le Québec et attend que les petits grandissent pour prendre un emploi. À l'école, on remarque qu'elle marche d'un pas décidé, la tête haute et le dos droit. Elle sort graduellement de son isolement et de sa misère.

Denyse a beaucoup cru en eux, en leur capacité de se prendre en main. Jamais elle n'a voulu «faire à leur place» ni les remplacer dans leur rôle de parents, au contraire, elle les a supportés et encouragés. Elle a été très patiente et confiante, afin de leur permettre de s'épanouir et de s'intégrer à la société québécoise.

Un jour, elle a abordé l'idée qu'une gardienne puisse venir occasionnellement à la maison, pour donner à Yasmine un peu de répit. C'est une nouvelle idée et il ne faut pas les bousculer...

Josef s'intéresse graduellement à ce que fait Marinka à l'école. Il interroge davantage sa femme concernant les bulletins de sa fille ou certaines demandes de l'école. Il demande à Denyse comment dire tel ou tel mot en français ou quel est le sens de certaines phrases. Il se rend bien compte que sa fille progresse rapidement. Il demande donc qu'une personne vienne à la maison pour donner des cours de français à Marinka et à lui-même; sa fille sera en deuxième année en septembre. Il accepte enfin que Yasmine s'inscrive à des cours de français offerts aux immigrantes, deux jours par semaine. Le service de garderie offert sur place lui facilitera les choses.

Depuis que la travailleuse sociale de la D.P.J. est venue, Josef appelle parfois à la maison vers 21 heures pour voir si les enfants sont couchés. À l'occasion, il invite sa petite famille pour manger au restaurant. Quelquefois, il amène Karol avec lui lorsqu'il part pour la journée. Jusqu'à la naissance du petit dernier, Yasmine a toujours fait l'épicerie seule. Maintenant, Josef l'accompagne avec les deux plus jeunes lorsque Marinka est à l'école et il lui donne de l'argent chaque semaine pour les dépenses du ménage. Certains soir, il baigne les petits. Cependant, il participe rarement à la préparation des repas même s'il est un excellent cuisinier.

Cette histoire prouve qu'il y a moyen de se sortir de situations pénibles même si les obstacles à surmonter sont énormes. Ce n'est guère facile de se sentir chez soi dans un milieu inconnu lorsque la communication verbale et écrite est nulle et que des préjugés raciaux existent tant envers les immigrants qu'envers ceux et celles qui les accompagnent. L'insécurité, l'isolement, le manque de relations interpersonnelles et les difficultés conjugales rendent ces familles très vulnérables.

La valorisation des personnes, la confiance en l'avenir et la foi en la vie ouvrent d'incroyables pistes de changement, de prise en charge et d'épanouissement. L'important, c'est de croire profondément que les personnes ont, à l'intérieur d'elles-mêmes, le potentiel nécessaire à leur croissance, à leur mieux-être. Il suffit parfois tout simplement de leur indiquer des ressources, de les accompagner sur leur «chemin de croix» afin d'y faire fleurir un «chemin de joie».

Un an auparavant, qui aurait cru qu'un tel changement puisse survenir dans cette famille? Le passage de la culture polonaise à la nôtre est un processus fort long. Dans quelques années, ce sera extraordinaire de voir l'intégration sociale de ces gens-là. Et tout cela à cause d'une école qui a décidé de prendre en charge une enfant qui, un bon matin de septembre, est entrée à la maternelle.

MALHEUREUSEMENT NOUS LAISSONS BEAUCOUP DE FAMILLES IMMIGRÉES DANS UN ISOLEMENT SORDIDE PARCE QUE NOUS AVONS PEUR DES DIFFÉRENCES.

MOI, JE N'AI PAS PEUR DES DIFFÉRENCES. C'EST TOI QUI NE VEUX PAS QUE J'AIE UNE MÈCHE BLEUE.

ET IL QUITTA SON PÈRE ET SA MÈRE...

Jacques Fortin

*enseignant au Petit Séminaire de Québec,
intervenant bénévole à la Maison de la Famille*

Il y a de cela fort longtemps, vivaient un roi et une reine qui ne désiraient que le bonheur de leurs sujets et ceux-ci, en retour les servaient avec empressement. Ce roi et cette reine habitaient un château situé près d'une grande rivière. Leurs terres étaient vastes et riches.

Malgré cela le roi et la reine étaient malheureux. Ils n'avaient pas d'enfants. On disait même tout bas que la reine était probablement stérile. Or la reine donna finalement naissance à un fils.

Le prince fut un enfant choyé, aimé, même si au château on exprimait peu ses sentiments (question de convenances). Il apprit très tôt à être reconnaissant envers ses parents de tout ce qu'il avait reçu.

Quelques années plus tard, le roi mourut. Le prince était trop jeune pour devenir roi à son tour. La reine régna donc tout en poursuivant l'éducation de son fils, tâche qu'elle trouvait ardue. Elle se plaisait d'ailleurs à le répéter souvent en précisant qu'elle faisait quand même de son mieux.

Le prince atteignit l'âge adulte et prit pour épouse une jeune et jolie princesse.

La reine considéra tout de suite la princesse comme étant sa propre fille et le couple s'installa au château.

Le prince s'absentait souvent. Parcourir le royaume en tous sens pour vérifier si tout allait bien et visiter les royaumes voisins pour maintenir de bonnes relations, étaient des tâches exigeantes qui demandaient beaucoup de temps. Sans compter qu'il fallait bien recevoir, de temps à autre, dans son propre château, toutes les familles royales.

Au cours d'une de ces soirées, un prince peu connu se présenta. Il était beau et d'un discours agréable. La princesse fut éblouie. Elle le revit une autre fois et...

La princesse ne dit mot à personne de cette histoire. Elle savait qu'aucune famille royale n'accepterait d'être salie par un tel scandale et que seul un bannissement à vie pouvait laver une telle offense. Elle essaya tant bien que mal d'oublier.

Les années passèrent. La princesse mit au monde deux enfants, un garçon et une fille qui firent le bonheur de la reine qui s'occupait constamment d'eux.

Et tranquillement, sans raison apparente, le prince et la princesse se mirent à se disputer, de plus en plus fréquemment, de plus en plus ouvertement, même parfois devant les serviteurs. Puis ils cessèrent de se parler. La vie au château devint alors intenable.

Le prince prétexta des voyages fréquents et quitta le château pour des périodes de temps de plus en plus longues. Au hasard de ces voyages, il rencontra une reine et...

Tourmenté, rongé par le remords, le prince avoua tout à la princesse. Celle-ci sentit alors qu'elle pouvait raconter sans crainte ce qui s'était passé pour elle aussi, il y avait de cela maintenant déjà dix ans. Quelle libération!

Le prince fut complètement stupéfait. Il s'attendait à tout sauf à une telle révélation. Il ne sut que dire et tomba dans un mutisme total. Cependant, il se confia à son seul ami. Ce dernier lui conseilla de rencontrer le vieil ermite et le prince se laissa convaincre.

Les habitants de presque tous les royaumes connaissaient l'ermite. Il avait trouvé refuge dans une grotte qu'il ne quittait jamais. Il vivait de ce que les visiteurs voulaient bien lui apporter. Certains le croyaient fou, d'autres doué de pouvoirs magiques.

Le couple princier décida donc de le rencontrer. Ils y allèrent de nuit, sans prévenir, habillés de longs manteaux pour être certains que personne ne puisse les reconnaître.

Ils trouvèrent le vieillard endormi et hésitèrent à le réveiller. Mais il ne pouvait être question de rebrousser chemin. Leurs craintes s'envolèrent lorsque l'homme s'éveilla de lui-même et s'assit devant eux. De longues minutes s'écoulèrent avant qu'il daigne leur demander quel était l'objet de leur visite.

Aussitôt le prince prit la parole et, aidé de la princesse, raconta toute leur histoire, sans rien omettre.

L'ermite les écouta patiemment, sentit leur profond désarroi et leur dit: «Votre punition est terminée. Il est temps de vous pardonner». Perplexes devant une telle affirmation, le prince et la princesse le remercièrent tout de même et le quittèrent sans oublier de lui laisser quelque nourriture.

Le lendemain, ils demandèrent aux serviteurs de préparer un festin. Et ce fut au cours de ce repas, où personne d'autre qu'eux n'était convié, qu'ils se demandèrent et s'offrirent mutuellement leur pardon.

Ce repas fut mémorable mais il ne parvint pas à faire disparaître toute trace d'animosité.

Ils se mirent cependant d'accord pour retourner voir l'ermite et lui demander ce qui n'allait toujours pas entre eux. L'ermite semblait s'attendre à cette seconde visite. Il leur déclara: «Un couple a besoin d'intimité. C'est ce que vous vous êtes toujours demandé l'un à l'autre dans un langage fort mais peu explicite. Maintenant agissez!» Un long silence suivit. Puis soudain le prince comprit et s'exclama: «Ma mère est âgée! Elle mourra si je la quitte!» Sur ce il éclata en sanglots et s'en retourna.

Un mois s'écoula. Le prince ne pouvait toujours pas se résoudre à quitter sa mère.

Un jour, on le prévint qu'un roi cherchait quelqu'un qui voudrait bien s'occuper de son domaine. Ce roi n'avait pas d'enfant et se sentait maintenant incapable s'assumer une telle responsabilité. Le prince le connaissait depuis quelques années et savait que celui qui accepterait une telle fonction serait tôt ou tard propriétaire du domaine. Il donna donc son accord.

Le travail ne manquait pas et commandait des déplacements constants d'un royaume à l'autre, d'autant plus que ceux-ci étaient fort éloignés l'un de l'autre.

Après six mois de va-et-vient harassants, la conclusion s'imposa d'elle-même: il fallait trouver un endroit où habiter qui permettrait de diminuer les distances à parcourir. Le prince offrit à sa mère de le suivre. Celle-ci ne fut guère enthousiaste mais elle encouragea son fils à réaliser ses ambitions: il deviendrait un jour le roi possédant les plus vastes terres des royaumes avoisinants. Elle lui dit même de ne pas s'inquiéter, ses serviteurs pourraient facilement s'occuper d'elle.

Le prince, la princesse et leur famille quittèrent donc le château et la reine n'en mourut point.

AH! ENFIN UNE VRAIE HISTOIRE.

QUI RESSEMBLE BEAUCOUP À LA VRAIE VIE, AVEC ENCORE UNE GRAND-MÈRE.

LA PROCHAINE PARLE DE L'ÉCOLE. MOI J'AI HÂTE D'ALLER À L'ÉCOLE.

BEURK!

LA PLACE DES PARENTS

Jocelyn Côté
criminologue et praticien social
Centre d'accueil Mont d'Youville, Québec

Je suis intervenu auprès de la famille d'un garçon de 11 ans qui a dû être pris en charge par un centre d'accueil.

Je veux mettre en lumière les efforts déployés par cette famille pour connaître et faire valoir ses droits et ses points de vue face à une décision de la commission scolaire, et les efforts des parents comme partenaires de l'école et du centre d'accueil, pour rétablir l'harmonie familiale. Tout au long du processus, les deux parents, Huguette et Michel, ont toujours collaboré et démontré une réelle motivation à aider leur enfant.

Lorsque Stéphane est arrivé au centre d'accueil, l'évaluation psychiatrique indiquait des «troubles d'opposition avec provocation». Comme enfant unique il est surprotégé et gâté. Il est habitué à fonctionner dans un système élaboré de récompenses. Avec le temps, ces récompenses doivent être de plus en plus importantes. La relation est toujours orageuse entre la mère et le fils. Huguette met une énergie considérable pour tenter de stimuler son fils qui est généralement d'humeur maussade et négative: Stéphane lui apparaît toujours insatisfait et elle en éprouve beaucoup de malaise. Les conflits sont nombreux entre Huguette et Stéphane et la mère est dépassée par ces conflits. Dans cette famille, le contrôle est inconsistant. Par ailleurs, la relation entre le père et le fils est toujours un peu plus détendue.

Depuis qu'il est à l'école en première année, Stéphane fait des crises de colère s'il est contrarié, il s'oppose aux règles et aux consignes et il entre fréquemment en conflit avec ses pairs. Cela préoccupe ses parents car le rendement scolaire est important pour eux et Stéphane ne répond pas à leurs attentes.

Stéphane est très passif et imperméable aux interventions de ses parents. Il apparaît très à l'aise dans la dynamique familiale: les conséquences négatives ne semblent pas avoir d'effet sur lui. Il ne fonctionne que pour de courtes périodes lorsque des récompenses importantes sont promises. Les parents exaspérés et fatigués se résignent au placement en centre d'accueil.

Avant le placement au centre d'accueil, la mère a consulté un organisme de service social au sujet de son problème avec son fils. Les deux parents ont établi un système de règles et de conséquences plus cohérent. Malgré l'amélioration des méthodes des parents, le fils continue à présenter les mêmes problèmes.

Huguette, 34 ans, a perdu son père alors qu'elle avait 7 ans. Sa mère, décrite comme étant sévère, violente et culpabilisante, a élevé seule ses trois enfants. Pour Huguette cette relation mère-fille était peu satisfaisante.

Michel, 36 ans, s'absente souvent de la maison à cause de son travail. Il semble qu'il soit moins engagé dans l'éducation de son fils, quoique la relation entre eux soit positive. Michel se décrit comme un papa gâteau qui aime faire plaisir; il semble bien capable d'encadrer son fils, mais il assiste en spectateur aux conflits mère-fils.

Les parents décrivent Stéphane comme fuyant l'effort, recherchant surtout le plaisir. Il paraît indifférent à tout et il est exigeant pour ses proches. Il a une image négative de lui et il a tendance à dominer les autres enfants. Avec sa mère qui est plutôt vulnérable, il utilise la séduction ou la menace.

Dès la fin des classes, Stéphane entre au centre d'accueil dans une unité de réadaptation. Huguette et Michel remarquent dès les premières semaines qu'il semble plus calme et que son comportement s'améliore. Mais la situation est fragile: il est influençable, ne voit pas les conséquences de ses actes et éprouve de la difficulté à occuper son temps. Les parents sont inquiets concernant le retour à l'école de Stéphane en septembre. Ils déménagent et ils craignent que les problèmes ne s'aggravent.

Le placement et le déménagement nécessitent un changement d'école pour Stéphane. Puisque le centre d'accueil et la nouvelle résidence sont situés sur le territoire de la même commission scolaire, Stéphane pourra donc fréquenter l'école de son nouveau quartier. Advenant son retour à la maison durant l'année scolaire, il n'aurait pas à changer de nouveau d'école. Le fait d'être à l'école de son quartier va lui permettre de se faire des amis parmi les enfants du voisinage et de s'intégrer plus facilement dans ce nouveau milieu.

Les parents sont informés des droits de leur jeune et des leurs: le droit au respect de sa personne, le droit à la protection, le droit aux services, le droit à l'information, le droit à la participation, le droit à l'accompagnement et à l'assistance, le droit à la représentation et le droit à l'exercice d'un recours.

Au cours du mois d'août, les intervenants du centre d'accueil informent les parents des démarches à faire auprès des autorités scolaires pour permettre à Stéphane de fréquenter l'école de son quartier.

Lors des premiers contacts avec la commission scolaire, les problèmes commencent. Huguette et Michel apprennent qu'on prévoit de considérer Stéphane comme un enfant présentant «des troubles de conduite» selon le langage utilisé dans le domaine scolaire. Cette classification est justifiée, selon les intervenants scolaires, par les problèmes de comportement manifestés par Stéphane lors des années précédentes.

Cette orientation scolaire pose un problème aux parents car, en plus de voir leur enfant porter une «étiquette», ils apprennent qu'il ne pourra pas fréquenter l'école de son quartier. Compte tenu de sa classification, Stéphane occuperait en classe régulière deux places plutôt qu'une. Or, il ne reste qu'une seule place dans chacune des deux classes de son niveau. Comme l'école est commencée depuis deux jours, il n'est pas question de transférer un enfant pour avoir deux places pour Stéphane.

Les parents croient que si Stéphane était chez lui plutôt qu'en centre d'accueil, il serait plus facile de l'inscrire dans une classe régulière. Ils rencontrent d'autres intervenants scolaires qui tentent de leur faire voir les avantages en termes de services pour «un trouble de la conduite»: plan d'intervention individualisé, présence de personnes-ressources, suivi plus encadrant, etc.

Durant ces démarches, les parents ont l'impression de «quémander», «de quêter» une place pour leur enfant. Ils doivent aller exposer devant des personnes étrangères leur histoire de famille, révéler leurs difficultés, avouer leur sentiment d'échec. Ils se sentent tout simplement humiliés. Ils n'ont pas l'impression d'avoir été consultés et s'interrogent sur la provenance des informations qui ont mené à une telle décision.

Déboussolés, découragés, ils ne peuvent accepter que leurs démarches demeurent vaines. Pour eux, il n'est pas question de mettre fin au placement en centre d'accueil; leur fils a besoin de cet encadrement, du moins pour quelques mois encore. Ils croient que s'ils continuent à travailler en collaboration avec l'enseignant et l'éducatrice du centre d'accueil, Stéphane pourra fonctionner adéquatement en classe régulière.

Malgré le différend qui existe entre les deux parties, les intervenants scolaires informent les parents de leurs droits et les invitent à faire des démarches auprès de plus hautes instances, s'ils le désirent. Après réflexions et consultations, les parents décident de poursuivre leurs démarches. Ils contestent l'évaluation de Stéphane et frappent à la porte de la directrice générale adjointe de la commission scolaire. Après avoir entendu l'exposé de la situation, la représentante de la commission scolaire accepte d'étudier le dossier et de donner une réponse dans les plus brefs délais.

Les parents reprennent espoir et souhaitent une décision rapide car l'année scolaire est commencée et Stéphane attend toujours qu'on lui assigne une école.

La réponse ne se fait pas attendre, dès le lendemain, une décision est rendue: le classement de Stéphane comme enfant présentant des «troubles de conduite» est jugé non valide car une rencontre avec les parents est nécessaire lorsqu'une telle décision est rendue. Comme cette rencontre préalable n'a pas eu lieu, Stéphane doit être incrit dans une classe régulière, à l'école du quartier, et ce, le plus tôt possible.

Cette décision réjouit Huguette et Michel. Leurs efforts pour procurer à leur fils les services auxquels il a droit, sans pour autant être classé de façon spéciale, réussissent.

Cette décision n'est pas vue comme étant une victoire au détriment des intervenants scolaires mais plutôt comme la preuve que la commission scolaire, par ses mécanismes d'appel, permet aux parents de se faire entendre et peut accepter de réviser ses décisions.

La partie n'est pourtant pas terminée car, après ces moments de joie et de satisfaction, un autre défi attend la famille: démontrer que cette décision est la bonne et s'assurer que Stéphane aura un comportement suffisamment acceptable pour justifier sa place en classe régulière.

De nombreux contacts ont été établis entre l'enseignante, le directeur de l'école, l'éducatrice du centre d'accueil, les parents et Stéphane pour discuter du programme, du fonctionnement scolaire et des attentes de chacun concernant le comportement et le rendement scolaire de Stéphane.

La position de l'école est intéressante car beaucoup d'efforts sont déployés pour donner des services à Stéphane. Un plan de travail est élaboré pour préciser les objectifs visés et les moyens qui seront utilisés pour amener Stéphane à fonctionner adéquatement.

La collaboration remarquable de l'enseignante pour s'assurer d'un suivi serré avec les éducateurs du centre d'accueil et les parents a été un élément déterminant pour la mise en œuvre d'un encadrement qui devait permettre la réussite de ce projet. Le directeur de l'école, loin d'en vouloir aux parents pour leurs démarches, sollicite leur collaboration et démontre une attitude positive face à Stéphane. Les intervenants scolaires font preuve de professionnalisme et se centrent sur les besoins du jeune.

Le souci de l'équipe d'éducateurs d'offrir un soutien adéquat à l'école devait aussi leur permettre de travailler dans un but commun: aider Stéphane et permettre aux parents d'assurer eux-mêmes, le suivi scolaire de leur enfant. La collaboration des personnes en cause a été excellente car la suite des événements nous a permis de constater que Stéphane pouvait bien fonctionner en classe régulière mais qu'un encadrement très strict lui était nécessaire, afin de le maintenir actif et de l'obliger à fournir les efforts nécessaires.

Cependant, Stéphane présente encore certains problèmes de comportement: peu de motivation, indifférence, peu de travail, peu de respect des autres enfants. Son enseignante doit lui consacrer beaucoup de temps.

Par contre, il respecte l'autorité de son enseignante et obéit lorsqu'elle intervient. Lors des récréations, il s'occupe bien et respecte les règles. Comme il est valorisé par ses succès, il semble reprendre confiance en lui.

Les parents se sont mobilisés pour leur fils sans le surprotéger. Le message était: «Nous allons tout faire pour que tu aies la place qui te revient mais ce sera à toi, avec notre aide, de la garder par la suite.»

Cette attitude a été importante dans notre travail auprès de la famille; les parents se rapprochaient de leur fils tout en prenant une distance face aux responsabilités de Stéphane. Ils l'obligeaient ainsi à développer son autonomie et à se prendre en main.

Des rencontres avec Huguette et Michel, dans le cadre d'un suivi psychosocial, m'ont permis de constater jusqu'à quel point la mère surtout tentait de compenser une relation insatisfaisante avec sa propre mère et une enfance vécue de façon rigide et difficile, par une relation de «surprotection» avec son fils. Elle croyait que si elle donnait beaucoup à son fils (affection-récompenses-cadeaux), elle recevrait davantage de lui et aurait une relation mère-fils plus satisfaisante.

On peut croire que Stéphane réagissait beaucoup à cette situation en voulant garder une distance d'avec sa mère, en la faisant marcher par du chantage affectif, en étant très exigeant tout en faisant le moins possible de son côté.

C'est après avoir pris conscience de cette situation que la mère a changé d'attitude pour devenir moins vulnérable et moins facile à culpabiliser.

Les moyens utilisés par Stéphane (dire à sa mère «je ne t'aime plus»; bouder, se retirer; faire des crises, briser quelque chose dans sa chambre; devenir triste, jouer à la victime; vouloir partir de la maison; parler de sa mort, etc.) mettaient la mère dans tous ses états car elle se plaçait dans une position d'infériorité face à son fils, position qui lui était apparue comme justifiée.

Avec le temps, la mère est devenue moins vulnérable face au chantage affectif. Elle peut maintenant fixer des règles claires et les faire appliquer. Elle n'hésite plus à punir Stéphane lorsque c'est nécessaire et ne se sent plus coupable pour autant. Elle dédramatise les conflits au lieu de les alimenter. Elle départage mieux des siens, les problèmes qui appartiennent à son enfant. Elle libère ses épaules d'un énorme poids.

Huguette a précisé son rôle de parent permettant à Stéphane d'être plus responsable. Plus sa mère prend ses distances, plus il doit s'organiser lui-même. Par la même occasion, Huguette apprend à régler ses problèmes avec sa propre mère et à prendre une distance avec elle.

Un rapprochement père-fils s'est produit par la suite. Cela a permis à Huguette d'être à l'aise dans sa nouvelle position et à Michel de s'engager davantage, ce qu'il souhaitait d'ailleurs. Stéphane doit apprendre à composer davantage avec son père, ce qui m'apparait très approprié pour son développement.

Stéphane continue de fréquenter une classe régulière. Son comportement s'est amélioré et son rendement scolaire est maintenant satisfaisant. Il a quitté le centre d'accueil pour retourner vivre avec ses parents. La situation actuelle est très positive et il semble que l'harmonie familiale soit présente.

Huguette et Michel répondent adéquatement aux besoins de leur garçon et ils ont réussi à contrôler ses comportements difficiles.

Les parents retiennent de cette expérience qu'avec une meilleure connaissance de leurs droits, ils peuvent découvrir des outils qui leur permettent d'exprimer leur opinion, de s'affirmer comme parents et de renforcer leur confiance en eux. Stéphane, sensible aux efforts déployés par ses parents pour régler leurs problèmes, découvre un exemple positif d'engagement. Devant les difficultés rencontrées par la suite, Huguette, Michel et Stéphane n'ont pas démissionné mais ont plutôt choisi de faire valoir leur point de vue, de le discuter, mais aussi d'être conséquents avec leurs décisions.

Ils ont réussi à s'affirmer face aux intervenants du centre d'accueil et de l'école, sans provoquer de conflit. Au contraire, ils ont été capables de s'asseoir avec ces personnes pour élaborer un plan et fixer des objectifs afin de modifier les comportements de Stéphane et de changer leurs attitudes en vue d'une meilleure harmonie familiale.

DES PARENTS
QUI SE TIENNENT
DEBOUT.

SANS LAISSER
DES INTERVENANTS
DE TOUTES SORTES
PRENDRE LEUR PLACE.

BABU, BABU!
(TRADUCTION: MOI,
JE PRENDS LA PLACE
QUE JE VEUX, QUAND
JE VEUX.

QUAND LES PARENTS SE TIENNENT ENSEMBLE, C'EST PEUT-ÊTRE PLUS FACILE. MAIS ÉCOUTEZ BIEN LA PROCHAINE HISTOIRE AVEC UN PARENT TOUT SEUL.

LE PARENT SEUL

Christine Bonneau
psychologue
L'Équipe Pro-Sys inc., Sainte-Foy

Cécile a 30 ans. Elle a deux enfants: David, 13 ans,
et Annie, 6 ans. Elle est divorcée depuis la naissance
de sa fille. Jean, le père, joue un rôle mineur dans la
vie des enfants. Il ne les voit que trois fois par année
et ce, obligatoirement en présence d'autres adultes,
chez ses parents à lui. Il ne participe d'aucune manière à leur éducation et ne paie pas de pension alimentaire. Cécile subvient donc seule à tous leurs
besoins.

Cécile enseigne l'informatique à temps partiel
pour un employeur et donne des cours privés à son
domicile tous les soirs. De plus, elle étudie à temps

plein à l'université afin d'obtenir un baccalauréat en informatique. Elle travaille de 75 à 80 heures par semaine.

Les parents de Cécile gardent les enfants durant la semaine afin de la libérer. Cependant, tous les jours pour le dîner, Cécile vient manger avec eux. Elle se plaint que ses parents gèrent sa vie personnelle, familiale et financière. Dernièrement, ils ont mis à la porte de son domicile son conjoint Luc et surveillent toutes ses allées et venues afin qu'elle ne puisse pas le revoir. Ils administrent son budget et menacent de lui faire faire faillite si elle ne les écoute pas. Elle doit leur donner sa paye et ceux-ci ne lui remettent que très peu d'argent de poche qu'elle doit justifier. Ils critiquent toutes les dépenses dont ils n'ont pas le contrôle (épicerie, vêtements, essence, etc.). Ils menacent aussi de lui faire retirer la garde de ses enfants car elle n'aura pas les moyens de les faire vivre.

Cécile sait qu'elle est en difficulté financière car elle n'a jamais su gérer efficacement son budget. De plus, elle paie, avant les siennes, les dettes de Luc qui est sans travail. Elle manifeste son désir de continuer cette relation qui dure depuis deux ans. Elle ne veut plus que ses parents s'ingèrent dans sa vie et désire reprendre toute son autonomie.

Afin de se libérer du pouvoir financier que ses parents exercent sur elle, Cécile reprend ses finances en main. Elle refuse la consolidation bancaire que ses parents lui proposent de signer. Elle change de banque et réussit à obtenir un prêt personnel pour liquider ses dettes. Comme ses parents n'ont plus le pouvoir de lui imposer une faillite, elle fait revenir Luc à la maison. Ceux-ci reviennent à la charge et demandent que le conjoint subvienne à ses besoins personnels et à ceux de son fils de six ans qui habite avec eux. Cécile est consciente que ses parents ont raison si elle veut arriver financièrement, mais elle n'est pas d'accord sur le montant qu'ils ont fixé. Comme elle ne sait pas comment gérer son budget et ne veut pas recevoir d'aide de ses parents à ce sujet, elle rencontre un conseiller financier. Il la conseille et suggère un montant légèrement moindre pour Luc. Celui-ci n'est pas d'accord et refuse de payer le montant demandé. La querelle éclate, Cécile commence à s'apercevoir que ses parents ont raison mais refuse de l'avouer. Elle décide donc de tenter de sauver sa relation afin de ne pas donner raison à ses parents, et ce, malgré qu'elle se sente très malheureuse avec Luc.

La situation devient critique lorsque le fils de Cécile manifeste des comportements violents à l'école: il s'emporte avec les élèves et le professeur. Le directeur menace de mettre David à la porte s'il n'est pas vu par un psychologue. À l'entrevue, David dénonce la violence et les comportements dangereux de Luc envers lui et sa mère. Il se sent obligé de protéger sa mère, mais comme il est dans l'incapacité de le faire, il préfère ne plus habiter avec elle et demeurer chez sa grand-mère. D'ailleurs, il ne comprend pas le conflit qui sépare sa mère et ses grands-parents.

Cécile, soucieuse du bien-être de ses enfants, se montre prête à collaborer mais refuse qu'on lui dise quoi faire pour assurer sa sécurité et celle de ses enfants comme ses parents l'ont toujours fait. Elle demande seulement qu'on lui fasse confiance. Elle dit avoir besoin de temps pour régler ses problèmes de vie.

Lorsque Cécile tente de rompre avec Luc, celui-ci menace de se suicider et de la tuer. Finalement, il décide de suivre une cure fermée de désintoxication.

Depuis un certain temps, Cécile se confie à un ami qui étudie avec elle. Celui-ci l'a toujours acceptée inconditionnellement, la confirmant personnellement, sans toutefois lui dicter une ligne de conduite. Cécile se sent comprise et acceptée par cet ami qui ne la juge pas. En consultation, aucune pression ne lui est faite dans le but de lui faire quitter son conjoint. On lui confirme plutôt sa capacité d'être une bonne mère, de savoir protéger ses enfants et de prendre sa vie en main.

Un matin, Cécile rencontre une de ses tantes qui

lui parle de la Maison d'hébergement pour femmes victimes de violence. Cécile remercie sa tante en lui signifiant que tout est sous contrôle et qu'elle n'a pas besoin de cette ressource puisque son conjoint est en cure et que son comportement violent est relié à la prise d'alcool. En arrivant à la maison, cette journée-là, elle se rend compte que Luc est venu. Plusieurs bouteilles de bière vides traînent sur la table. Elle apprend qu'il a quitté prématurément le centre de désintoxication. Tous les espoirs de Cécile s'envolent, elle a l'impression que sa vie s'effondre, elle craint pour sa sécurité et pour celle de ses enfants. Elle comprend à ce moment que son conjoint ne changera jamais. Sans plus tarder, elle contacte la Maison d'hébergement et décide de s'y rendre. Comme elle ne veut pas que ses parents soient mêlés à cette his-toire, elle décide d'emmener ses enfants avec elle et de s'y installer pour un temps indéterminé. Elle coupe pendant ce temps tout contact avec ses parents et son conjoint. Elle avertit d'abord ses parents qu'elle est en sécurité et qu'elle ne veut aucune intervention de leur part. Elle somme ensuite son conjoint de quitter son domicile et ce, pour toujours, sous peine de procédures légales.

Pendant son séjour au centre d'hébergement, Cécile est libérée de toutes ses obligations de travail et d'études. Elle contribue aux tâches domestiques et assume entièrement la responsabilité de ses enfants. Elle parle beaucoup avec les autres femmes et se rend compte du vécu qu'elles ont en commun. Elle confirme sa décision de ne plus retourner avec son conjoint et désire aussi assumer seule la garde de ses enfants. Après trois semaines au centre, elle contacte ses parents et leur fait part de ses décisions. Elle leur manifeste son désir de s'occuper seule de ses enfants et de gérer seule ses affaires. Les parents acceptent de lui faire plus confiance, compte tenu de sa décision de ne plus vivre avec Luc.

Cécile a repris le travail un mois plus tard et les enfants vont occasionnellement rendre visite à leurs grands-parents à qui ils sont très attachés. Plusieurs discussions entre Cécile et ses parents leur ont permis d'apprendre à lui faire confiance et à ne plus s'ingérer indûment dans sa vie.

Après sept mois de rupture avec Luc, Cécile commence à fréquenter un autre homme; l'inquiétude des parents grandit et ils reviennent en force. Après une longue discussion, Cécile les rassure sur sa capacité de s'assumer. Trois mois plus tard, les parents de Cécile lui font maintenant confiance et ne s'imposent plus dans sa vie. Cécile apprend à vivre un autre genre de relation avec les hommes. Elle désire ne pas s'engager trop rapidement et souhaite mieux connaître son nouvel ami avant de cohabiter avec lui.

Elle se sent bien, heureuse, et est très satisfaite de sa nouvelle relation avec ses parents. Elle ne se sent plus obligée de leur rendre des comptes et de passer l'été avec eux au chalet. Elle leur rend visite lorsqu'elle en a envie et constate que ses parents ont développé une meilleure relation entre eux. Sa mère a cessé de travailler; elle s'est mise à cuisiner et s'occupe beaucoup de son père, ce qu'elle ne faisait pas avant. Son père est très heureux et les deux semblent beaucoup apprécier d'avoir du temps pour se retrouver entre eux. David ne manifeste plus de comportement problématique à l'école; il habite avec sa mère en permanence ainsi que sa jeune sœur.

Cécile s'est mariée à 17 ans pour pouvoir quitter la maison et s'opposer à ses parents qui lui disaient qu'elle ne pourrait pas partir car elle n'en avait pas les moyens financiers. Par ailleurs, ni ses parents, ni Cécile n'étaient prêts à assumer cette séparation et chacun continuait, malgré ses dires, à avoir besoin des autres.

La mère de Cécile avait beaucoup investi pour que sa fille unique ait une bonne éducation et suive des cours. Au moment du départ précipité de Cécile, ses parents n'avaient pas appris à se retrouver ensemble et à occuper leur temps autrement qu'en s'occupant de Cécile. Elle a eu tout de suite un enfant que les grands-parents gardaient durant les fins de semaine. Le conjoint de Cécile causait des problèmes, obligeant ses parents à toujours se préoccuper de leur fille. Ils n'avaient pas le temps de se retrouver comme couple. De son côté, Cécile n'avait pas terminé la phase adolescente de la séparation d'avec ses parents. Elle avait en même temps un désir d'autonomie, qu'elle manifestait en quittant le domicile et en choisissant des partenaires inappropriés, et un besoin de dépendance qui la poussait à se mettre en mauvaise situation financière dans le but d'être aidée par ses parents. De cette manière, chacun s'aidait et continuait à avoir besoin l'un de l'autre. Bien entendu ce comportement était inconscient et chacun se sentait mal et piégé dans ce système.

La demande consciente de Cécile était: «Je veux que mes parents me fassent confiance et me laissent gérer ma vie.» Celle des parents était: «Nous voudrions pouvoir faire confiance à Cécile et qu'elle prenne sa vie en main.» Chacun se sentait pris dans un cercle vicieux et incapable d'en sortir. Pour arriver à mettre en marche le processus de séparation, chacun a dû trouver une bonne raison de se séparer. Le fils de Cécile, en dénonçant la violence, disait à sa mère, à sa manière, de s'y prendre autrement pour se séparer de ses parents et qu'il n'était pas nécessaire qu'elle coupe le contact avec eux pour atteindre son autonomie.

La crise majeure vécue par la famille a permis à Cécile d'apprendre à se faire confiance comme parent et à assumer sa vie. Ses parents ont appris, à leur tour, à occuper leur temps autrement qu'en s'occupant de leur fille.

À ELLE DE DÉCIDER;
L'HISTOIRE NE
LE DIT PAS.

PARLANT DE DÉCIDER,
LE PROCHAIN TEXTE
TOURNE AUTOUR DE
CETTE IDÉE.

L'ABUS SEXUEL

Denise Coulonval

travailleuse sociale
Centre de Protection de l'enfance et de la jeunesse, Québec
Centre de médiation, de consultation
et d'expertise psychologique, Québec

Je ne raconterai pas l'histoire réelle d'une famille dans laquelle le père a abusé sexuellement de sa fille pendant plusieurs années.

J'ai contacté quelques familles avec lesquelles j'ai travaillé, pour leur demander de me permettre de participer au projet en racontant leur histoire. J'ai essuyé quelques refus. En général, les membres des familles étaient enchantés par le projet et par le fait que leur expérience puisse aider d'autres familles. Presque tous... sauf les enfants qui avaient été victimes du père.

J'ai davantage compris combien les abus sexuels commis envers les enfants les atteignaient dans ce qu'ils ont de plus intime, de plus privé, de plus sacré. Demander à une enfant à qui on a pris, sans considération aucune et de toutes sortes de façons, sa jeunesse, sa naïveté, sa confiance, sa pudeur, son intimité ressemble à un autre abus. Cette histoire qu'on lui demande d'utiliser, même si l'intention est louable, elle aurait souhaité ne jamais la vivre et c'est pour cette raison qu'elle ne permet pas qu'on la raconte. Mais comme je crois qu'on peut s'inspirer de l'expérience des autres, sans en trahir la confidentialité, j'aborderai le problème de l'inceste à partir de faits réels.

Je parlerai des abus sexuels père-fille. Cette approche ne veut surtout pas minimiser les abus sexuels père-fils, ni les autres types d'abus sexuels qui peuvent être commis au sein d'une famille. J'ai choisi de ne pas décrire de façon explicite tous les gestes qu'un père peut poser. Le lecteur peut se dire que malheureusement, tout est possible, même l'inimaginable.

De l'extérieur, une famille où le père abuse sexuellement de sa fille ressemble à n'importe quelle famille. Les couples peuvent ou non avoir parfois des difficultés à équilibrer leur budget. Ils ont tantôt des enfants plutôt sportifs, ou plutôt intellectuels, ou ni l'un ni l'autre. Il arrive parfois que les deux conjoints travaillent à l'extérieur, qu'un des deux ou les deux demeurent à domicile. Vraiment, bien malin serait celui qui pourrait, sans l'ombre d'un doute, affirmer qu'il se passe un tel drame dans une famille, sans qu'aucun membre n'en ait soufflé mot.

Il est très fréquent que cette famille soit isolée socialement, sans en avoir l'air. Les membres de la famille peuvent aussi s'occuper de toutes sortes d'activités sociales (guides, scouts, hockey, ringuette, etc.), mais ces personnes ne deviennent pas intimes et ne se voisinent pas beaucoup. Pourquoi? D'une façon ou d'une autre, on s'arrange pour que personne ne s'approche de trop près et risque de découvrir le secret.

Le père, pour qui les enjeux sont très importants s'il était découvert (perdre sa famille, sa réputation, son emploi), peut devenir très sévère et contrôlant. Il peut surveiller de très près les allées et venues de son enfant et ce, très subtilement: tout en permettant que sa fille joue dehors avec une amie, un père peut exiger qu'elle soit toujours en mouvement, prétextant les bienfaits de l'activité physique; car, ne pourrait-il pas arriver que les deux copines, en parlant tranquillement, se fassent des confidences?... Devant les dangers de dévoilement, le père est toujours aux aguets, prévoyant et prêt à agir.

Il choisit souvent d'établir une relation particulière avec sa fille, en l'amenant souvent avec lui pour toutes sortes d'activités (magasinage, tours d'auto, achats au dépanneur).

Si la mère en vient à trouver le père quelque peu possessif et ose lui dire: «Laisse-la donc aller jouer avec ses amies!», il peut très facilement lui répondre devant l'enfant: «Voyons, ne sois donc pas jalouse!» Subtilement, lentement, un fossé se crée entre la mère et la fille. La mère peut se sentir, à la longue, honteuse de cette prétendue jalousie; elle peut alors se raisonner et nier ce qu'elle pressentait.

Il peut arriver que le père achète le silence de l'enfant de plusieurs façons: par des menaces, en lui disant qu'elle fera du mal à sa mère si elle l'apprend, en lui donnant de l'argent, ou en lui accordant des permissions «spéciales». Il est facile d'imaginer que si les frères et les sœurs sont témoins des largesses du père envers leur sœur, ils l'envient et s'en éloignent. Par le fait-même, l'enfant-victime est mise de côté par ses proches. Le fossé s'élargit encore et la solitude augmente. Personne habituellement ne critique le père pour ses passe-droits, mais on juge sévèrement l'enfant qui en profite.

Au moment où elle aurait le plus besoin d'aide, elle se retrouve seule avec ses peurs, ses inquiétudes, ses tourments qui peuvent durer pendant de nombreuses années. Elle craint de ne pas être crue si elle révèle les abus sexuels; elle peut croire qu'elle est la seule à qui cela arrive; elle a peur de causer la séparation de ses parents, de faire de la peine à sa mère, de briser la famille; son père l'en a souvent avertie. Elle continue alors à garder le secret et se sent, en plus, coupable de ne pas en parler.

Durant toute cette période, plus ou moins longue, pendant laquelle le père abuse sexuellement de sa fille, il m'est apparu évident que les gens touchés par ce problème ont fait des choix. Examinons certains des choix que le père a faits. S'il trouve sa relation conjugale insatisfaisante, il choisit de ne pas affronter le problème. Il choisit d'utiliser son enfant qu'il considère souvent comme étant sa possession, pour satisfaire ses pulsions sexuelles et dominatrices. Il choisit de tromper la confiance de sa conjointe, mère des enfants, de s'élever au-dessus des lois et des mœurs sociales. Il choisit aussi de ne pas voir s'éteindre dans les yeux de son enfant le scintillement d'une lueur faite de la confiance aveugle et de la naïveté propre à l'enfance. L'expression du regard d'un enfant parle tellement sur ce qu'il peut vivre à l'intérieur! Finalement, il choisit de ne pas cesser les abus et de ne pas rechercher une aide spécialisée. Il sait, la plupart du temps, que cette aide existe, mais il veut tout, sans efforts, peu importe les conséquences sur ses proches.

Les mères, le savent-elles ou l'ignorent-elles? C'est une question qui préoccupe beaucoup et, du seul fait qu'elle soit posée, souligne l'importance donnée traditionnellement à la mère pour le maintien du bien-être des enfants sous sa responsabilité.

L'adolescente peut avoir l'impression que sa mère le sait mais qu'elle agit comme si elle l'ignorait. La jeune fille a quelquefois lancé un message à sa mère, quand celle-ci s'apprêtait à sortir: «O.K., ne sors pas ce soir maman.» Sans rien préciser de plus mais étant convaincue d'être explicite. La mère ne peut deviner et maintient la sortie prévue, afin de se donner un peu de temps pour elle seule.

La mère peut ressentir la tension du climat familial ou l'insatisfaction dans la relation conjugale et choisir de remettre à plus tard une vraie bonne explication avec son conjoint. Les enjeux d'une clarification sont souvent menaçants pour l'équilibre du couple qui se maintient parfois, tant bien que mal. Il faut avoir une bonne estime de soi, une bonne capacité d'affirmation de soi pour commencer une telle démarche sans en connaître l'issue.

Dans ces situations, le père ne souhaite pas entreprendre un dialogue franc et direct avec la mère. Il préfère garder le contrôle en maintenant des relations familiales ambiguës. Il est probable que la mère, étant la seule à déceler les problèmes et souhaitant les clarifier, reçoive comme réponse: «Tu t'en fais pour rien, tu exagères». Il peut arriver que l'enfant se confie à la mère et que celle-ci la croie. Une crise survient alors. La mère peut choisir de confronter le père qui peut nier catégoriquement en démontrant logiquement que leur fille a besoin d'aide thérapeutique pour avoir inventé cette histoire. Il peut aussi admettre qu'en effet, il a fait des attouchements sexuels mais ce n'est arrivé qu'à une reprise, qu'il avait bu et qu'il ne le referait plus jamais. Il peut, de plus, exprimer tout cela en sanglotant. À quels choix la mère est-elle confrontée? Croira-t-elle son conjoint? Il a l'air si sincère et elle l'aime. Passera-t-elle par-dessus cette «erreur» ou ces «gestes inappropriés» pour un père? Est-ce qu'elle se séparera, quittera son mari en compagnie de ses enfants? Demandera-t-elle l'aide de la Protection de la Jeunesse, parce que son enfant a besoin d'être protégée? Portera-t-elle plainte à la police puisque les agissements de son mari sont criminels et que la victime est sa fille?

Je laisse chacun réfléchir à ces questions.

L'enfant souhaite trouver une façon magique qui ferait que son père cesse tout comportement sexualisé avec elle, tout regard insistant et autoritaire; elle désire que sa mère, malgré le fossé qui s'est créé, se rapproche d'elle, qu'elle ne sache jamais rien, qu'elle n'ait pas de peine et qu'elle l'aime encore. Elle veut redevenir «égale» à ses frères et sœurs. Elle pourrait alors redevenir comme toutes les autres filles de son âge avec les mêmes joies et les mêmes peines qu'elles. Peut-être serait-elle même capable d'oublier que l'inceste s'est produit.

Mais, plus le temps passe, plus elle s'aperçoit que rien ni personne ne réussit à arrêter son père. Alors pour toutes sortes de raisons, elle peut choisir de signaler à quelqu'un en dehors de la famille, son besoin urgent d'aide.

La prévention, maintenant faite dans les écoles, permet aux enfants de comprendre qu'ils ne sont pas seuls à vivre de tels drames et qu'il existe des gens pour les aider. Ce n'était pas le cas autrefois, et plusieurs enfants qui sont devenus des adultes aujourd'hui, sont encore aux prises avec leur secret sans savoir comment s'en libérer.

Ce que la fille veut, quand elle demande de l'aide, c'est que son père cesse d'abuser sexuellement d'elle, uniquement, et que, autant que possible, rien d'autre ne change dans la famille. Qui peut l'aider? Qui peut avoir le droit et le pouvoir d'exiger du père qu'il cesse ses abus? En vérité, il n'existe pas beaucoup de gens qu'un père accepterait de laisser entrer dans sa vie, pour lui dire que son comportement envers cette enfant est abusif, dangereux pour son développement, criminel et qu'il doit obligatoirement cesser sur-le-champ et travailler à réparer le tort causé à son enfant et à sa famille.

Les principes du respect de la vie privée, des droits et libertés de la personne sont sacrés. Toutefois la société considère qu'il y a des situations exceptionnelles où l'on doit pouvoir agir d'autorité quand la sécurité ou le développement d'un enfant est en cause. Qui peut le faire? En urgence, les policiers peuvent aider toute personne en détresse et si cela concerne un enfant, c'est la Protection de la Jeunesse qui prendra la relève. Les gens qui y travaillent sont engagés par la société pour veiller au droit des enfants d'avoir une vie sécuritaire favorisant leur développement physique, affectif, psychologique et intellectuel. Ils ont le devoir et le pouvoir d'engager les parents dans la recherche de solutions aux problèmes.

Il faut se rappeler que le père risque gros si ses agissements sont découverts et de ce fait, il ne prendra jamais au sérieux quelqu'un qui n'a pas de pouvoir sur lui.

Une fois la situation d'abus sexuels connue, évaluée en profondeur à la Protection de la Jeunesse et vérifiée, plusieurs choix sont possibles pour sortir de ce drame individuel, conjugal et familial.

Évidemment, tout le dévoilement et l'authentification de ces faits causent chez la mère une crise majeure semblable à un tremblement de terre où toutes les bases, sur lesquelles elle croyait que la famille existait, s'effondrent et où la terre s'ouvre sous ses pieds. Tous les membres de la famille se sentent honteux face au reste du monde. Bien peu d'expériences humaines demandent autant de force et d'énergie pour s'en sortir.

C'est à cette étape que la «capacité de faire des choix» est déterminante pour que chacune des personnes concernées puisse s'en sortir. Choisir, décider pour soi, c'est ce qu'une personne peut faire de mieux pour construire sa vie et l'assumer. Toutefois, ce n'est pas parce que quelqu'un peut faire des choix que ceux-ci ne sont pas déchirants. Le faire, c'est prendre la décision de devenir responsable de soi, de ce que l'on fait et des conséquences que cela entraîne. Une enfant qui a subi des abus sexuels de la part de son père a bien besoin de ne plus se sentir sous le joug de qui que ce soit et de se sentir libre, sans entrave, ni compte à rendre.

Le premier choix qu'elle fait pour se libérer c'est d'en parler, de demander de l'aide jusqu'à ce que quelqu'un comprenne le sérieux de sa situation. En faisant cette démarche, elle se choisit «elle», malgré toutes ses peurs, ses craintes face aux réactions de son père, de sa mère et des autres. C'est le début de la fin du drame.

Elle peut ensuite choisir plusieurs formes d'aide qui lui sont offertes et qui visent à rendre sa vie la plus normale possible. L'aide psychothérapeutique est une des possibilités pour identifier et réduire les conséquences des abus sexuels et augmenter la qualité de sa vie. L'enfant peut avoir à choisir où elle vivra en fonction des réactions et des décisions de son père et de sa mère. Si le père n'admet pas les faits, que la mère ne croit pas son enfant, peut-on penser que l'enfant serait en sécurité chez elle?

Même si les pressions sont fortes, plusieurs enfants choisissent de quitter leur famille afin de pouvoir s'épanouir ailleurs. Ce choix est déchirant pour une enfant qui risque de perdre sa famille qui peut la punir en l'excluant.

Si le père nie ou admet les faits, la mère peut choisir de le quitter, en réaction à la tromperie qu'elle ressent comme conjointe, en réaction aux dommages causés à sa fille qu'elle veut protéger. Ce choix, aussi, est déchirant. La mère doit traverser, en plus de la crise du dévoilement des abus sexuels, toutes les émotions et les étapes reliées à une séparation ou un divorce avec une réorganisation complète de tous les aspects de sa vie: affectif, parental, financier. Ce cheminement s'échelonne sur quelques années et exige de la mère la capacité de saisir les occasions d'aide qui lui sont offertes.

Si le père admet les abus sexuels qu'il a commis envers sa fille, la mère peut choisir de demeurer avec lui et leur fille peut décider de rester avec eux. La mère est alors confrontée à une renégociation de sa vie conjugale et à une réorganisation familiale. Plusieurs questions surgissent: Qu'est-ce qui nous unit maintenant comme couple? Qui devient responsable de la sécurité de leur fille? D'habitude, ce sont le père et la mère. Maintenant, comment vivrai-je le fait de devoir protéger ma fille de son père, mon conjoint? Qu'est-ce que je peux attendre du père de ma fille? Il me jure qu'il ne recommencera plus jamais. Puis-je croire qu'un problème si grave peut se régler seulement parce qu'il le décide? Pourquoi alors ne l'a-t-il pas décidé au tout début? Et la confiance? Si je quitte la maison pour quelques heures, est-ce que je serai toujours inquiète de la savoir seule en présence de son père?

Ce sont des questions qui exigent toutes une réponse claire pour que la mère et l'enfant puissent évoluer dans un tel contexte.

Que sont les choix du père? Il en a plusieurs à faire. Tout d'abord s'il persiste à nier la situation, il oblige sa fille à vivre d'autres situations traumatisantes qui mènent parfois aux tribunaux, où l'enfant aura à témoigner.

Il faut tout de même savoir que plusieurs pères finissent par admettre les faits et commencent ainsi à devenir «père» en n'obligeant pas leur fille à témoigner contre eux.

Le père qui admet être un abuseur sait qu'il devra accepter l'ensemble des réactions qu'aura son entourage à la suite du dévoilement: de la colère, du rejet, du mépris et de l'incompréhension. Il doit accepter de se considérer responsable de tout ce qui arrive à sa fille, à sa vie conjugale, à sa famille et à lui-même. Par le fait même, il doit choisir de s'accepter et se prendre en charge. Il peut faire face à ses problèmes et choisir de vivre un processus thérapeutique au cours duquel il apprendra probablement qu'il sera toujours en danger de recommencer, qu'il peut choisir de se contrôler, de développer d'autres facettes de lui-même et de se découvrir peut-être d'autres capacités. Qu'est-ce qui peut motiver un homme qui a ces difficultés à accepter de se regarder en face et à essayer de modifier ses comportements et ses façons d'être abusif? Bien sûr, il y a toutes les craintes reliées aux pertes possibles: famille, conjointe, enfants, emploi (quoique très rare) qui augmentent parfois la motivation à changer ou à accepter l'intervention proposée. L'autre élément qu'un père qui abuse sexuellement de son enfant ignore la plupart du temps, c'est justement son rôle de père… Cet homme ignore souvent comment ÊTRE avec sa fille, comment agir avec elle pour comprendre et satisfaire ses besoins, sans en abuser.

Il peut choisir de travailler fort et longtemps à identifier et développer ses capacités parentales afin de peut-être, pouvoir réparer tout le tort causé. Il doit finalement laisser à sa fille la liberté de faire des choix sur la relation qu'ils auront.

Il doit savoir qu'il s'est coupé du bonheur incommensurable que le rôle de père sécuritaire, affectueux, éducateur, ferme, mais chaleureux peut procurer.

Pour une enfant qui subit le drame d'être abusée sexuellement par son père, dénoncer la situation pour qu'elle cesse en dévoilant le secret, semble souvent impossible.

Pourtant, commencer à en parler demeure la seule solution.

Il faut toujours se souvenir que tout enfant a droit à une enfance saine et sécuritaire et que les adultes ont le devoir de s'assurer que ce droit est respecté.

ÇA NE SE PEUT PAS DES PARENTS QUI FONT DU MAL À LEUR ENFANT.

MALHEUREUSE-MENT,
ÇA ARRIVE PLUS SOUVENT QU'ON LE PENSE.

SI ON SE DONNAIT PLUS DE TENDRESSE, CERTAINS N'AURAIENT PAS BESOIN DE SE CACHER POUR EN ARRACHER À UN ENFANT,

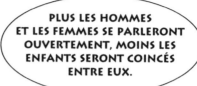

PLUS LES HOMMES
ET LES FEMMES SE PARLERONT
OUVERTEMENT, MOINS LES
ENFANTS SERONT COINCÉS
ENTRE EUX.

EXACT!
C'EST CE QUE
RACONTE AUSSI
LA PROCHAINE
HISTOIRE.

APRÈS UN DIVORCE, LA FAMILLE CONTINUE...

Linda Bérubé
travailleuse sociale
Iris Québec, Québec

Étienne est grand et mince; il porte fièrement ses treize ans. Dans ses yeux, un fond de tristesse qu'il dissimule derrière un large sourire ou dans des prises de bec avec sa mère. Depuis quelque temps, son panier de *basket* est brisé et il a perdu son principal moyen de défoulement.

En tant qu'aîné, il lui arrive de subir les foudres conjuguées de ses frères jumeaux de 11 ans. Jérôme, le regard pensif sous de grands cils bruns, fermé en apparence, mais qui vous sort, mine de rien, de grandes vérités; Guillaume, souriant et sensible, prêt à aider tout le monde, mais peu enclin à parler de ses problèmes. Les jumeaux sont tour à tour comme les deux doigts de la main ou comme chien et chat...

Pour ces trois jeunes, la vie n'est plus la même depuis deux ans. Il n'y a plus qu'une auto à côté du panier de *basket*, papa est parti...

J'ai accompagné les parents de nos trois amis, Maryse et Jean-Marie, lorsqu'ils ont négocié à l'amiable leur entente de divorce en médiation. Ils m'ont permis de raconter l'histoire de leur famille et comme le dira Étienne: «L'histoire de papa et l'histoire de maman, c'est pas pareil pantoute pantoute...»

Ils s'aimaient. Ils ont décidé de vivre ensemble. Elle voulait un contrat, il voulait fêter; ils se sont épousés.

À partir de ce jour, l'achat et la rénovation de la maison et la responsabilité de son commerce ont occupé Jean-Marie. La naissance d'Étienne et celle des jumeaux 22 mois plus tard ont accaparé Maryse jusqu'à son retour à son travail d'infirmière. Une vie bien remplie quoi!

Maryse et Jean-Marie en ont plein les bras et l'intensité de leur vie commence à faire ressortir leurs divergences: elle est organisée, il est désordonné; il aime agir sur l'impulsion du moment, elle aime planifier; il est calme, elle est impatiente; elle aime la tranquillité de sa maison, il veut sortir avec les amis... Ils sont débordés par les exigences de leur travail et de leurs enfants. Leur vie de couple est emportée par la vague, et chacun poursuit un long monologue entrecoupé de tentatives infructueuses de rapprochement.

Maryse prend beaucoup sur elle. Elle aime les choses bien faites, elle est exigeante envers elle-même et envers les autres. Elle est fière de ses enfants, elle trouve avec eux un sens à sa vie. Elle donne, donne, donne, sans jamais s'accorder de répit. Mais elle est si fatiguée... elle devient impatiente, elle dispute, elle crie.

Pendant tout ce temps, au fond de la Maryse raisonnable et responsable, une petite fille pleurait et attendait qu'on la console. Elle attendait qu'on devine son besoin de tendresse et d'affection, qu'on sèche ses larmes et qu'on la soulage du lourd fardeau qu'elle s'imposait. Cette petite fille avait besoin plus que tout au monde de se sentir aimée, d'avoir de l'importance pour quelqu'un. Elle avait besoin d'être cajolée, caressée. Mais, «fermée comme une huître», elle ne savait pas demander. Quand elle criait, quand elle s'impatientait, quand elle disait «viens m'aider», elle voulait dire «aime-moi!» Mais comme le vrai message ne franchissait pas ses lèvres, elle n'était jamais entendue.

Jean-Marie est un gars *cool*; il consacre beaucoup de temps à sa *business*. Quand il rentre, il essaie d'aider Maryse, mais il ne voit pas du tout les choses de la même manière qu'elle. Pourquoi se faire des montagnes avec des riens? Soyons calme, çà ne sert à rien de crier. Il sent que Maryse veut lui imposer ses règles, ses exigences; lui, il ne veut pas «embarquer dans son *kit*», il ravale. Quand la tension monte, il essaie d'amorcer le dialogue, il lui fait voir qu'elle s'en impose trop, qu'elle se crée des problèmes.

Il n'y a jamais eu de grosses chichanes entre eux. Quand Jean-Marie était frustré, il le gardait en dedans. Avec le temps, quand il s'est rendu compte que Maryse et lui avaient des visions différentes et qu'ils ne pouvaient pas se retrouver bien ensemble sur un terrain commun, Jean-Marie a, petit à petit, au-dedans de lui, commencé à se désengager du couple.

Au fond de Jean-Marie aussi, il y avait un petit garçon qui recherchait le plaisir et qui voulait vivre sans contraintes, il détestait les règles, il était confiant et ne pouvait tolérer qu'on l'empêche d'être lui, de vivre… Ce petit garçon sensible n'aimait rien de plus que la paix et la liberté et il n'aimait pas les disputes. Ainsi pendant quelques années, Jean-Marie et Maryse assument leurs rôles de parents en oubliant l'enfant qui sommeille en eux. Ils s'éloignent ainsi l'un de l'autre et de leur moi profond.

Les enfants grandissent et ils se chamaillent. Jean-Marie est appelé à la rescousse, pour imposer les règles. Maryse se trouve de plus en plus seule pour s'occuper des enfants mais elle en a pris son parti.

Puis, un jour d'automne, c'est le tremblement de terre: Jean-Marie tombe en amour avec une autre femme. Maryse devine le changement chez son homme; elle s'inquiète. Il lui avoue: «Je ne t'aime plus...»

Elle n'a rien vu venir, elle est consternée et la décision de Jean-Marie est sans retour. Elle est obligée de vivre avec ça et elle ne comprend pas.

En questionnant sa mère qu'il a surprise à pleurer, Étienne apprend la nouvelle. «Ça se peut pas, dit-il, vous vous entendez super bien!» À l'arrivée de Jean-Marie, ce soir-là, c'est Guillaume, le plus «mémère» des trois, selon Étienne, qui demande à son père: «Papa, tu l'aimes-tu encore maman?» Jean-Marie prend une grande respiration pour annoncer sa décision aux enfants. À travers les pleurs, les questions fusent: «Quand tu t'en vas?» «Où tu t'en vas?» «Pourquoi tu l'aimes plus?» «Vas-tu être avec nous autres pour Noël?» Et Jean-Marie parle à ses fils de la séparation. Il leur dit que ce n'est pas de leur faute, que lui et Maryse les aimeront toujours, qu'ils auront deux maisons, qu'ils se verront souvent...

Le mois de novembre a été affreux. Jean-Marie, pensant atténuer le coup, avait décidé de partir après les Fêtes. L'atmosphère dans la maison était lourde, Maryse pleurait, Jean-Marie passait des nuits entières à méditer sur la décision qu'il venait de prendre, Étienne et Jérôme pleuraient le soir dans leur lit, Guillaume était plein de tristesse, mais il ne pleurait pas. Les jumeaux se chamaillaient moins, Étienne en parlait à ses amis pour ne pas «capoter». La situation était devenue intolérable, finalement, Jean-Marie est parti avant Noël.

À près la séparation, il n'y avait pas d'action dans la maison. C'est comme si chacun retenait son souffle de peur que tout ne s'écroule autour de lui. Les enfants s'ennuyaient de leur père, même s'ils le voyaient toutes les semaines. Maryse, blessée au plus profond d'elle-même, était triste à en mourir. Résolue à s'organiser toute seule, comme elle l'avait si bien appris quand elle était petite fille, elle a réuni l'énergie qui lui restait et elle est devenue encore plus exigeante envers elle-même: «La femme forte, l'université, les enfants, le travail, mets-en!»

À l'intérieur d'elle, la petite fille blessée pleurait toutes les larmes de son corps et la grande Maryse a bien dû lui prêter attention. Comme un petit chat à la patte cassée, Maryse a commencé à panser ses plaies, elle s'est acheté des livres, elle est allée en psychothérapie, elle s'est entourée d'amis. Enfin, elle s'occupait de «sa petite fille».

Jean-Marie, lui, profitait de sa liberté retrouvée et vivait sa nouvelle aventure amoureuse en faisant face aux conséquences de sa décision: réorganisation matérielle, psychologique, etc. Au travail, ça n'allait pas fort.

Maryse, soucieuse de faire les choses en bonne et due forme, a proposé d'aller chez le notaire pour préciser les règles de leur séparation. Il ne voulait pas de conflit, il a accepté. C'est ainsi qu'ils ont fait une première entente temporaire concernant l'usage de la résidence, la garde des enfants, la pension alimentaire.

Et un an passa...

Maryse devait vivre avec les conséquences d'une décision qu'elle n'avait pas prise, mais elle était bien déterminée à gérer sa séparation. Elle avait lu l'annonce d'un service de médiation familiale dans un quotidien. Elle ne voulait pas «s'embarquer» dans une bataille et la formule lui plaisait. Elle en a parlé à Jean-Marie. Il ne voulait pas se faire avoir et souhaitait une entente équitable pour les deux, il a accepté de se rendre au service de médiation.

C'est ainsi qu'un an après leur séparation, Maryse et Jean-Marie ont amorcé une démarche de médiation. Ils devaient régler les questions du partage de leurs biens: maison, meubles, régimes de retraite, etc. et la manière de partager leurs responsabilités à l'égard des trois enfants. Comment prendront-ils les décisions les concernant? Comment se répartiront-ils les diverses tâches? Quand les enfants vivront-ils avec chacun d'eux? Comment se partageront-ils les dépenses des enfants?

Il leur a fallu six rencontres avec une équipe de médiateurs pour négocier une entente. Sur chaque sujet discuté, chacun a pu exprimer ses idées, ses préoccupations, ses peurs, ses besoins et entendre ceux de l'autre. Avec l'aide des médiateurs, ils ont travaillé activement à faire ressortir les différentes options possibles avant d'en venir à une décision. Ils sont finalement parvenus à un projet d'accord et avec l'aide d'un avocat ils ont fait une demande conjointe de divorce.

«C'est pas une partie de plaisir», dira Maryse, «c'était pénible de se revoir, de se rendre là dans deux autos, de ravaler ses émotions pour parler affaires… mais après coup, je suis contente. Je suis satisfaite de l'accord, c'est ce qu'il peut y avoir de mieux dans le pire.»

Jean-Marie a lui aussi trouvé que c'était un dur moment à passer. «Ça va jouer dans les tripes tout le temps. Tu as l'impression de tout donner, parce que ce qui s'en va, tu pensais que ça t'appartenait à toi. Et puis c'était difficile de revoir Maryse.»

On peut se demander pourquoi recourir à la médiation si c'est si pénible? Parce que les deux personnes sont face à face, même si c'est pénible, et parce que c'est la seule façon d'éviter les malentendus. Chacun doit rester maître de ses décisions, parce que la vie continue après...

Aujourd'hui, deux ans après la séparation, Maryse continue d'habiter la résidence familiale dont elle a racheté la part de Jean-Marie. Les trois enfants vivent avec elle et voient leur père toutes les semaines pour deux ou trois couchers.

Maryse consacre tout son temps à ses enfants et à son travail. Elle réalise des projets professionnels dont elle ne se serait pas crue capable auparavant. Mais elle se demande encore «pourquoi?» De temps en temps, surtout quand elle ne prend pas assez soin d'elle, lorsqu'elle s'y attend le moins, elle entend la petite Maryse qui vient la remuer.

La vie de Jean-Marie est complètement transformée. Il n'a plus son commerce et il est à la recherche d'un emploi. Il doit bientôt emménager avec sa nouvelle amie. Il cherche encore à savourer le moment présent. Dans tout ce renouveau, il se sent confiant en lui-même, en ses enfants et en l'avenir. Il aimerait tant que Maryse soit heureuse elle aussi.

Pour les enfants, le pire est passé. Ils savent maintenant que papa et maman ne les laisseront pas tomber. Jérôme aimerait bien que son père gagne le gros lot, Guillaume aimerait qu'Étienne cesse de faire des «conneries» pour moins faire fâcher maman. Quant à lui, Étienne, il aimerait bien qu'au lieu de se chicaner on essaie à quatre de fixer les nouvelles règles de la maison chez maman et puis qu'on répare au plus vite le panier de *basket* brisé!

MIEUX VAUT ACCEPTER DE SE FAIRE AIDER QUE DE CONTINUER LES MÊMES CHICANES PENDANT DES ANNÉES.

BABU!
(TRADUCTION: MOI
J'ACCEPTE TOUJOURS
QU'ON M'AIDE ET JE
N'AI JAMAIS DE
PROBLÈME.)

IL Y A DES MOMENTS DANS
LA VIE OÙ TOUTE L'AIDE DU
MONDE NE SUFFIT PLUS.
ÉCOUTEZ LA PROCHAINE
HISTOIRE.

LA MALADIE D'UN ENFANT

Marguerite Désy

infirmière et intervenante bénévole
Maison de la Famille de la Rive-Sud, Lévis

La famille peut vivre comme un choc ou comme un cauchemar la maladie grave d'un des siens. Dans le cadre de ma profession, j'ai rencontré des gens qui ont vécu la panique et le désespoir face à cette réalité. Cela peut se manifester différemment selon les individus. Ce n'est pas facile, la route est souvent cahoteuse. Mon travail m'a permis d'aider des familles qui ont vécu ce drame et je voudrais vous en présenter une.

Maria, la mère, est de ces femmes qui ont parcouru cette route, avec son conjoint et ses quatre enfants: Diane, 21 ans, Linda, 20 ans, Paul, 17 ans et

111

Jean, 13 ans. Je lui ai demandé si je pouvais vous raconter son histoire. Non seulement a-t-elle accepté mais elle a collaboré à la rédaction de cette histoire vraie.

«Lorsque j'ai accepté de vous raconter mon histoire, toutes sortes d'idées m'ont envahie. Les émotions et les sentiments étant toujours présents, j'ai fait, en pensée, un retour sur les événements que notre famille a vécus durant ces cinq dernières années. Que de peines! Que de difficultés!

Nous sommes en juin 1987. Pour les besoins de notre travail, nous devons nous rendre, mon mari et moi, aux États-Unis. Nous sommes inquiets de partir, car Jean, notre fils cadet de 13 ans ne va pas très bien. Nous le confions à sa grande sœur, tout en envisageant un séjour à l'hôpital pour un examen complet. Rien de sérieux ne nous traverse l'esprit à ce moment-là. Il est au début de son adolescence, une bonne dose de vitamines réglera sûrement ses petits ennuis.

Je crois bien que le retour de ce voyage fut le jour le plus «noir» de notre vie. Quel choc! Le médecin est catégorique: Jean est atteint de «leucémie»! Ce mot, à lui seul, nous fait frémir. C'est alors que commence l'aventure la plus terrifiante de notre vie familiale.

Chaque membre de notre famille encaisse le

coup à sa manière. Petit à petit, et à notre insu, le climat de crise s'installe. Mon mari n'est pas, par tempérament, un grand parleur et cette triste nouvelle le rend encore plus taciturne et mélancolique. Il pleure en silence! Au travail, il est triste et songeur. On sent qu'il est malheureux. Quoi faire?

J'ai lu quelque part que la meilleure façon de passer à travers une épreuve, c'est de la vivre pleinement. En serons-nous capables? Quel défi! Si Dieu veut notre fils cadet, il va le prendre... mais, nous voulons le garder nous aussi! Qu'avons-nous fait pour qu'un tel drame nous arrive?

Nous ne sommes pas parfaits, certes, mais à ce que je sache, il n'y a pas de parents parfaits! Pourquoi nous? Pourquoi lui? 13 ans! La révolte nous guette. Et moi, je dois absolument m'occuper de Jean! Je suis à l'hôpital pendant presque 24 heures par jour. Je délaisse les autres membres de la famille. Je me dis qu'ils vont comprendre. Ai-je le choix?

Diane, notre fille aînée, se raccroche à son père d'une façon excessive. Il est présent, lui. Ma grande fille vivait sa révolte sur le dos de sa famille, avec son père pour complice. Elle devint enceinte et mon mari trouva dans notre nouvelle petite-fille une évasion. Son affection pour Jean se tourna vers ce petit bébé si adorable. Une joie, à travers notre peine.

Linda, elle, vit sa révolte d'une autre manière.

Elle cherche à oublier cette terrible maladie avec un peu de drogue, puis elle développe une attitude très maternelle envers son jeune frère. Elle se rend à l'hôpital, y passe des jours et des nuits, gâte et cajole son Jean. Il aime ça. Il voudrait bien recevoir autant d'attention de Diane, de Paul, de son père aussi, mais ce n'est pas possible pour eux.

Au tour maintenant de Paul de se manifester; il a 16 ans à cette époque. Il aime son frère et voudrait le lui dire, mais comment? Il ne trouve pas les mots. Les amis aidant, il connaît lui aussi des problèmes de drogue et d'alcool. Mais cela devient beaucoup plus sérieux pour lui. Son père est obligé de le sortir d'embarras plus d'une fois. Pourquoi notre vie à tous a-t-elle basculé si fortement? Dans le tumulte, où sont passés tous nos moyens? Paul va au bout de sa révolte en tentant de se suicider. Pourquoi vivrait-il si son frère doit mourir, si son père n'est pas fier de lui, si sa mère est aux prises avec la leucémie de Jean, si sa blonde le quitte... Verrons-nous un jour la lumière au bout du tunnel? Chaque membre de la famille se révolte à sa façon.

Et moi, dans tout ce tumulte, où est ma place? À l'hôpital? Au bureau? À la maison? Tout me dépasse. Nous essayons de comprendre, d'aider du mieux que nous le pouvons. Mais, prenons-nous les bons moyens? Y a-t-il une manière de souffrir? Trouvons-nous les bons mots qui vont atteindre le cœur, la tête? Devrions-nous nous fâcher? Je l'ai dit et je le crois, il n'y a pas de parents parfaits. Il n'y a que des parents qui font leur possible et les événements dépassent souvent les limites de chacun. Quel est le lien, la clé, qui fera comprendre à ceux que nous aimons, qu'il faut bien que la vie continue, malgré tout, malgré l'épreuve? Il faut accepter! Il faut des traitements, des opérations souvent très douloureuses. Jean a besoin d'une bonne dose de volonté de vivre! Il doit s'aider lui-même coûte que coûte! À chaque jour, il faut se remonter le moral les uns les autres, s'accrocher soit à une parole des infirmières, soit à une explication du médecin, soit à une poignée de main, une tape sur l'épaule, un sourire de sympathie. Il faut s'accrocher à tout signe d'aide qui se manifeste autour de nous. C'est à ce prix que l'on réussira à sortir de l'impasse, à accepter, à comprendre et à espérer. L'enjeu est sérieux!

Oui, l'enjeu, c'est de retrouver le bonheur, la santé de Jean, l'enjeu c'est la Vie! C'est sûr qu'un jour la mort survient, mais à 13 ans... à 16 ans... elle prend alors un tout autre sens! Il va falloir combattre! Les séjours à l'hôpital sont nombreux. Ils ne sont pas non plus toujours encourageants, car on s'y fait des amis, et un bon matin, ces amis sont partis. Ils ne reviendront plus jamais! «Maman, je n'ai pas vu

Pierre aujourd'hui, où est-il? Est-il guéri? Est-il chez lui? Maman, je veux rentrer à la maison.» Comment trouver les bons mots, les bons arguments? Heureusement, les gens de «Leucan» et de la fondation «Rêve d'enfants» prodiguent des conseils pour nous venir en aide. Ils font en sorte que nous prenions très vite de l'expérience. On ne dira jamais assez combien ces organismes font un travail colossal pour améliorer la qualité de la vie.

Un autre événement va venir perturber notre famille. Une greffe de moelle épinière compatible avec celle de Jean pourrait lui sauver la vie. Toute la famille se présente à l'hôpital pour les tests. Si seulement ça pouvait marcher! Nous prions fort pour que le miracle se produise. Chacun est prêt, mais Dieu en a décidé autrement! Aucun de nous n'est compatible. Nous voulions tellement le sauver!

Mais nous ne nous laissons pas abattre, Jean continue d'autres traitements! Et, à travers ces voyages à l'hôpital, Jean retourne à l'école car, au début de sa maladie, il était en première secondaire et réussissait bien. Sa vie doit être la plus normale possible, dit le médecin. Le retour à l'école s'est révélé plein d'embûches, de bâtons dans les roues! Si seulement les enseignants pouvaient prendre notre place ne serait-ce qu'une seconde, comme toutes les choses deviendraient plus faciles! L'important n'est-il pas de garder nos rêves, nos ambitions, malgré la maladie?

Un autre problème allait venir nous perturber encore une fois. Une rechute chez les garçons engendre souvent des problèmes d'infertilité. Serait-il possible que Jean, s'il voulait un enfant un jour, ne puisse réaliser son désir? Comment aborder la question avec lui et puis entreprendre les démarches nécessaires? Finalement, nous avons réussi car, s'il le veut, il pourra procréer grâce à une banque de sperme.

Il faut dire qu'à travers nos paniques, nos rêves anéantis, nos tourments, une présence spirituelle continue de nous guider. La prière est notre bouée de sauvetage! Nous prions avec une telle ardeur, avec un tel désir de vaincre la maladie, de retrouver notre paix, que l'espoir s'est mis à renaître. Après cinq longues années tumultueuses, la lumière est apparue au bout du tunnel.

Aujourd'hui, notre Jean est toujours avec nous! Il va bien! Il est en rémission! Merci mon Dieu! Il termine sa cinquième secondaire et il semble heureux. Nos deux grandes filles sont devenues de bonnes mamans, heureuses aussi. Notre Paul va mieux! Il est fragile mais plus encouragé, plus autonome aussi. Nous avons une bonne relation ensemble et tous les espoirs sont permis!

Quant à nous, mon mari et moi, nous nous sentons comme des marins qui rentrent au port après avoir traversé la pire tempête, en ayant eu bien peur d'y laisser notre peau! Psychologiquement fatigués, meurtris, mais combien heureux que notre mariage n'ait pas sombré!

Et moi, aujourd'hui, je prends conscience que nous avons tous grandi à travers l'épreuve, puisque toutes les brèches dans nos vies sont en voie d'une réparation durable. Pour le moment, la lumière brille. Le tunnel est derrière nous, la tempête s'est calmée et tous ensemble, nous essayons de vivre l'essentiel en harmonie avec ceux qu'on aime.»

J'EN FAIS DÉJÀ PARCE QUE TU ES PLEIN DE VIE, MON GARS

PAS TOUJOURS FACILE DE RECONNAÎTRE QUE LA VIE A UN SENS, SURTOUT QUAND ON EST IMPUISSANT DEVANT LA SOUFFRANCE DE NOS ENFANTS.

OU QUAND ON EST IMPUISSANT DEVANT LE CHOIX DE NOS PARENTS, COMME CE QUE RACONTE LA FILLE DANS L'HISTOIRE QUI SUIT.

UNE FAMILLE À REFAIRE

Denise Robitaille
travailleuse sociale
Centre de Consultation Conjugale et Familiale, Sainte-Foy

Catherine, adolescente. — Seize ans seulement, et des fois j'ai l'impression d'en avoir vingt-cinq. Il faut dire que les dernières années m'ont fait vieillir.

Tout a commencé quand mes parents m'ont appris qu'ils allaient se séparer. J'avais onze ans, mon frère, lui, en avait à peine sept alors que ma petite sœur venait de commencer la maternelle. Je ne voulais pas le croire. Pourtant ils ne se chicanaient pas tant que ça, du moins pas plus que les parents des autres. Mais il paraît qu'ils ne s'aimaient plus.

Je n'y ai rien compris.

Dans les semaines qui ont suivi, ç'a été le chaos total. Des silences interminables que j'essayais de combler. Des discussions aussi interminables que j'essayais d'interrompre. Je surprenais ma mère, les larmes aux yeux. Mon père était de plus en plus souvent absent. Eux, ils essayaient de nous rassurer, de nous faire comprendre. Moi, j'essayais d'occuper les petits pour qu'ils ne se rendent pas trop compte de ce qui se passait.

Finalement, les décisions se sont prises. La maison a été mise en vente et maman a trouvé un duplex dans le même coin pendant que mon père s'est pris un logement pas trop loin. Ils continueraient tous les deux à s'occuper de nous. Ils se sont entendus sur des modalités de garde: chez notre mère, mais avec de courts séjours chez notre père. Ils trouvaient qu'ainsi nous ne serions pas trop perdants. Mais rien ne peut remplacer une vraie famille, c'est une perte qui ne se mesure pas.

La peine que j'ai eue! Les larmes dans l'oreiller. La colère aussi. Je leur en voulais à tous les deux de nous faire ça. Je les trouvais égoïstes de penser à leur petit bonheur à eux avant de penser au nôtre. Je ne savais pas si j'en voulais plus à l'un qu'à l'autre. J'ai comme décidé d'en vouloir davantage à mon père parce que ma mère avait plus de peine.

Pour la soulager, je me suis beaucoup occupée

des petits. Ça me faisait oublier. De plus, j'en recevais beaucoup de compliments. Tout le monde me félicitait d'être aussi raisonnable. Il faut dire que les petits m'adoraient aussi, je pouvais leur faire faire tout ce que je voulais. Ça m'amusait. Je réussissais presque à croire que nous étions une famille heureuse.

Les courts séjours chez mon père ne se passaient pas trop mal, non plus. Il s'était vite fait une amie, mais elle ne restait pas longtemps chez lui quand nous y étions. Ce fut la première, parce qu'il y en a eu d'autres. Mais aucune ne restait dans sa vie très longtemps.

Pour ma mère, ce fut différent. Pendant trois ans, elle n'a pas eu d'ami régulier. Nous étions d'ailleurs très bien les quatre ensemble, presque une vraie famille. Pas de chicane et maman me disait souvent combien elle était contente de pouvoir compter sur moi.

Même quand elle a commencé à sortir avec Thomas, cela a continué à bien aller. Je gardais souvent les petits, ils étaient habitués. Lui, il était gentil avec nous, il nous sortait, faisait des cadeaux. Maman avait l'air de plus en plus heureuse, même amoureuse. C'était drôle, nous pouvions nous raconter nos sorties, parce que, moi aussi, je commençais à m'intéresser aux garçons.

Je me suis rendue compte qu'elle commençait à tâter le terrain pour qu'il vienne habiter avec nous. Cela ne changerait pas grand chose, disait-elle, nous le connaissions bien et l'aimions bien. Nous n'aurions pas à déménager, son fils ne viendrait que durant quelques semaines à chaque année, parce qu'il demeurait en Ontario. Je n'aurais pas à garder aussi souvent, je serais plus libre de sortir, etc.

Cela ne me disait rien de bon. Pourquoi vouloir changer ce qui marchait si bien? Nous avions réussi à nous refaire une vie à quatre au lieu de cinq et maintenant, elle voulait remonter à cinq, puis six des fois... J'étais la seule à ne pas être enchantée. Les jeunes l'adoraient, lui, et étaient enthousiastes à l'idée qu'il vienne habiter avec nous.

L'an dernier, elle m'a annoncé que leur décision était prise et qu'il arriverait dans trois semaines. Encore une fois, je devais me réajuster, pour leur bonheur à eux autres. Pourquoi avoir des enfants s'ils ne comptent pas?

C'est là que cela a mal tourné. Thomas ne se mêlait pas de ses affaires, même qu'il essayait de monter maman contre moi. Depuis des années, elle me laissait m'occuper des jeunes et voilà qu'il lui disait que je prenais trop de place, que je prenais sa place. Comme s'il savait ce que c'est que de s'occuper de jeunes, il ne l'a jamais fait avec le sien.

Les chicanes ont commencé, entre lui et moi, entre elle et lui, entre moi, elle et lui. Tout était prétexte à ce qu'il dise son mot, mes résultats scolaires, mes amies, les garçons, mon habillement, mon supposé manque de respect envers ma mère, mes heures de rentrée. Le pire, c'est qu'il se permettait de me donner des ordres, comme s'il était mon père, et qu'elle lui donnait raison à peu près tout le temps. J'avais envie de partir de la maison, mais pour aller où? Je ne serais pas bien chez mon père, lui et ses blondes! Et les jeunes avaient encore besoin de moi. Des fois, les chicanes étaient tellement orageuses que j'avais peur de perdre le contrôle. Je savais qu'ils parlaient de séparation et cela me paraissait une bonne solution. Nous pourrions de nouveau être comme avant, les quatre ensemble.

C'est alors que ma mère a décidé de prendre un rendez-vous au Centre de Consultation. Il a fallu qu'on y aille tous ensemble. Une travailleuse sociale, je n'y croyais pas tellement. Les premières rencontres ont été difficiles. Des fois, je trouvais qu'elle prenait, elle aussi, son bord à lui, mais d'autres fois, je pensais qu'elle prenait mon bord à moi. Dans le fond, elle nous écoutait tous et chacun. Ça paraissait qu'elle voulait vraiment nous aider.

J'ai compris bien des choses. Que j'avais été super raisonnable quand mes parents se sont séparés et que j'avais toujours gardé ma peine pour moi seule. Que ma mère m'avait délégué une bonne partie de la responsabilité des jeunes, parce que cela était trop pour elle. Que ma mère ne m'avait jamais mis de règles parce qu'elle avait de la difficulté à assumer l'autorité. Que cela avait bien fait mon affaire de ne pas avoir à rendre de comptes et d'exercer tout ce pouvoir sur mon frère et ma sœur. Que cela me privait de vivre mon adolescence en ayant plus de responsabilités que je devais en avoir à mon âge.

J'ai aussi compris que j'avais beaucoup de craintes que la nouvelle union de maman ne dure pas et que nous ayons à vivre de nouveau une séparation. Je me protégeais en ne voulant pas m'attacher à Thomas. Lui, il essayait d'aider ma mère quand il lui rappelait que c'était elle, la mère, et que je prenais sa place et lui manquais de respect dans mes actions et mes paroles. J'avais de la difficulté à laisser aller notre famille à quatre et j'avais peur d'essayer une nouvelle famille à cinq, peur que son échec me fasse encore mal, comme lorsque ma première famille avait éclaté.

Maintenant, ça va bien, je n'aime pas toujours cela quand ma mère fixe mes heures de rentrée ou quand elle ne veut pas que je me mêle de réprimander les plus jeunes, mais je sais que c'est elle, le parent, et qu'elle est capable d'assumer ses responsabilités. Je sais aussi que Thomas est là pour l'aider s'il le faut. Moi, j'ai seulement seize ans, et finir mon secondaire m'en demande bien assez. Excuse-moi, le téléphone sonne, c'est sûrement pour moi...

Louise, mère — Je suis bien fière de ma grande. Ce qu'elle en a vu, ces dernières années! Déjà, la séparation avait été difficile pour tout le monde mais nous avions réussi à la traverser ensemble. Je n'aurais jamais cru que de recomposer une famille serait une aussi dure épreuve. Pourtant, elle avait l'air de bien aimer Thomas, de l'apprécier même, surtout quand il s'intéressait à ce qu'elle faisait.

Dès les premières semaines, j'ai vu que la lune de miel ne serait pas longue. Thomas laissait sous-entendre que Catherine en menait bien large dans la maison et que je lui déléguais trop mes responsabilités de parent. C'est vrai qu'elle s'occupait beaucoup des jeunes mais personne ne s'en plaignait et cela me soulageait.

L'atmosphère est devenue de plus en plus tendue. Ouvertement, Thomas me reprochait de ne pas prendre ma place et je voyais bien qu'il avait raison. J'essayais de changer, de m'affirmer davantage mais cela ne faisait qu'empirer la situation. Je les avais tous les deux sur mon dos, je me sentais coincée entre laisser les choses comme avant, ce que Catherine souhaitait, ou reprendre ma place de mère comme Thomas me le disait et comme je savais que j'avais à le faire. Quotidiennement, il y avait des disputes et je n'avais plus de solutions. C'est beau d'être en amour mais ce n'était pas assez. La séparation semblait être la seule solution pour que nous puissions être bien comme avant.

Une copine m'a parlé du Centre de Consultation. J'ai appelé, assez sceptique, surtout que nous devions y aller tout le monde ensemble. Ça ne me tentait pas de parler de nos mésententes devant quelqu'un d'autre. Mais, cela nous a aidés. Cela m'a confirmé que Thomas avait raison et voulait m'aider quand il me rappelait que j'étais la mère, qu'il désirait mon bien. J'ai aussi découvert que je n'étais pas à l'aise pour exercer l'autorité et que cela faisait mon affaire de laisser cette tâche à ma grande parce que cela lui venait plus naturellement. Mais j'ai surtout découvert que, lors de la séparation, je m'étais beaucoup appuyée sur elle, je l'avais fait vieillir trop vite et je n'avais pas vu sa peine, ses pertes, car j'étais trop envahie par ma propre peine.

Graduellement, j'ai appris à reprendre ma place de parent et à accepter l'aide de Thomas tout en m'occupant de ma grande et des deux autres. C'est beaucoup à faire mais j'y arrive. Thomas et moi partons en fin de semaine d'amoureux, sans nous sentir coupables; il paraît qu'il faut se ménager des moments privilégiés de couple, ce n'est pas nous qui allons nous en plaindre.

Thomas, conjoint — C'est vrai que je n'ai pas élevé mon garçon moi-même mais le gros bons sens, ça existe. Quand Louise et moi avons parlé de cohabiter, j'avais quelques doutes. Je me rendais bien compte que Catherine prenait beaucoup de place dans la famille. Puis, j'allais habiter dans leur maison, leurs affaires. J'avais mentionné mes appréhensions à Louise et elle m'avait rassuré en me disant que Catherine était une fille bien raisonnable qui savait s'adapter aux situations.

Cela n'a pas été long pour que mes doutes se confirment, même pire que ce que j'avais anticipé. Non seulement elle contrôlait les plus jeunes mais elle traitait sa mère comme une enfant. C'était mademoiselle qui était le «boss». J'ai essayé d'être diplomate, d'en parler doucement à l'une et à l'autre, sans résultat. Puis, j'ai perdu patience et enlevé les gants blancs. C'est devenu très conflictuel. Je n'arrivais pas à comprendre comment, en voulant aider Louise, je causais autant de problèmes. C'était évident qu'elle se laissait mener par sa fille, et j'étais prêt à l'aider à reprendre sa place de parent. Je commençais à regretter de m'être embarqué dans une telle galère.

C'est beau de s'aimer mais il y a des limites à ce que je pouvais endurer. Les conflits, les injures et les discussions sans fin me rongeaient et je voyais bien que Louise était de plus en plus malheureuse. J'aimais mieux me séparer d'elle que de la voir souffrir.

Quand elle m'a parlé d'aller consulter, je n'y croyais pas trop mais j'étais assez désespéré pour accepter. Dès le début, j'ai compris que cela nous aiderait. Je ne pouvais pas bien évaluer jusqu'à quel point c'était ardu pour Louise de reprendre la place qu'elle avait donnée à Catherine depuis plusieurs années. Exercer l'autorité, c'est plus facile à dire qu'à faire. J'ai appris à seconder Louise dans les efforts qu'elle avait à faire et à trouver ma véritable place dans cette famille, le conjoint du parent. J'ai pu aussi leur exprimer combien je trouvais souvent difficile de me rendre compte qu'ils avaient partagé ensemble beaucoup de souvenirs, de joies et de peines dont j'étais exclu.

Maintenant, les choses vont bien, Louise et moi avons repris notre lune de miel qui avait été écourtée. Catherine ne m'en veut plus, les jeunes sont contents que les «chicanes» soient finies. J'ai bien hâte de voir ce qui va se passer quand mon garçon viendra cet été pour passer quatre semaines. L'année dernière, il était reparti après dix jours. Je pense que cette année, il va rester pour le temps prévu.

PROTÉGER L'INTIMITÉ DU COUPLE ET PRENDRE TOUTE SA PLACE DE PARENT, VOILÀ CE QUI RESSORT DE PLUSIEURS DE CES HISTOIRES.

C'EST VIEUX COMME LE MONDE: CHACUN SON MÉTIER ET LES VACHES SERONT BIEN GARDÉES.

ENTRE L'ARBRE
ET L'ÉCORCE

Thérèse Lane
travailleuse sociale,
L'Équipe Pro-Sys inc., Sainte-Foy

Monica, qui travaille comme agente de bureau, est l'avant-dernière d'une famille de 13 enfants. Monica a toujours été seule, isolée puisque la 13ᵉ et la 11ᵉ, ayant beaucoup d'affinités, se tenaient toujours ensemble.

Gérant dans un grand magasin, Ghislain est le troisième d'une famille de quatre enfants. Il est né après la deuxième fille et avant la dernière.

Lorsque Monica et Ghislain se sont mariés en 1979, ils se sont installés à proximité des parents de Ghislain. Les trois années qui ont précédé la naissance de Stéphanie n'ont pas été pour autant une lune de miel. En effet, Ghislain se retrouve souvent coincé entre les demandes de sa conjointe Monica et les appels d'urgence de sa mère. L'alcool devient pour Ghislain le moyen de tempérer son conflit de loyauté. Se sentant constamment tiraillé entre le besoin de créer une relation d'intimité avec sa conjointe et l'obligation de continuer à jouer son rôle de protecteur et de père auprès de sa famille d'origine, il consomme de plus en plus d'alcool afin de survivre entre l'arbre et l'écorce.

En 1985 naît Marie-Pierre, leur deuxième fille. Pendant que Ghislain continue de se sentir coincé entre sa famille actuelle et sa famille d'origine, Monica prend l'habitude de se placer soit entre Stéphanie et Marie-Pierre pour arbitrer leurs disputes enfantines soit entre les deux enfants et Ghislain pour les protéger de leur père alcoolique et irresponsable.

Un de ses «lendemains de la veille», Ghislain se laisse profondément toucher par une phrase à jamais marquée dans son cœur: «Je comprends pourquoi tu nous promets des affaires et que tu ne tiens jamais tes promesses», lui dit en pleurant sa fille aînée alors âgée de 7 ans. C'est à partir de ce fameux 12 mars 1989 que Ghislain a cessé complètement de boire tout alcool.

La sobriété de Ghislain, pourtant souhaitée,

vient perturber Monica dans ses rôles de conjointe et de mère. L'alcool lui servait d'excellent prétexte, tant pour refuser les relations sexuelles avec Ghislain que pour assumer toute la charge parentale. Jusqu'ici l'alcool pouvait servir d'exutoire ou de prétexte à toutes les tensions qui se vivaient dans leur relation conjugale et dans leur relation parentale.

En 1990, la crise éclate. Monica et Ghislain vivent de façon aiguë un problème d'espace. Ils décident de consulter une travailleuse sociale. C'est Monica qui téléphone: «Depuis un bout de temps, on a de la misère à vivre avec les enfants. On est bien quand elles ne sont pas là. Comment faire pour s'en sortir? Je ne suis plus capable de les entendre crier ou pleurer. Ce n'est pas parce que je ne les aime pas, je les aime beaucoup. Je me dis que, peut-être pour elles, ça serait mieux que je ne sois pas là. J'ai juste envie de m'en aller.»

Les disputes sont continuelles. L'aînée rentre dans sa bulle, devient lunatique et s'isole. La cadette s'impose et prend beaucoup de place. Pour Monica, le retour à la maison après la journée de travail est devenu un cauchemar. Ghislain doit souvent faire des heures supplémentaires et il reste encore beaucoup de travaux à faire à leur maison qu'ils viennent de faire construire. Les filles reviennent de l'école avec deux heures de devoirs tous les soirs. De plus, les critères d'ordre et de propreté sont très élevés tant pour Ghislain que pour Monica.

Même s'ils font tout pour donner à leurs filles le meilleur d'eux-mêmes, ils ne se sentent pas «corrects» comme parents, ils se sentent coupables. Leur moyen d'en sortir est d'en faire encore plus. Monica, n'ayant plus la force de donner davantage, ne voit qu'une seule issue: «partir».

Comme Monica et Ghislain n'ont toujours pris leur place qu'entre l'arbre et l'écorce, ils ne savent pas comment se placer l'un à côté de l'autre.

Au fil des rencontres avec la travailleuse sociale, Monica et Ghislain ont accepté d'essayer de prendre leur place en tant que parents, l'un à côté de l'autre. Quand Ghislain intervient de façon trop sévère (selon Monica) auprès de Stéphanie ou de Marie-Pierre, Monica se rapproche de Ghislain et lui masse le dos au lieu de prendre parti pour l'enfant et de disqualifier le père. Quand les filles se disputent, la mère met des cache-oreilles et ne se mêle pas du différend. Ghislain convainc Monica de prendre une fin de semaine de répit alors qu'il assure la relève auprès des filles.

Encouragés par les résultats, Monica et Ghislain ont effectué d'eux-mêmes une série de changements: faire coucher l'aînée une demi-heure après sa sœur, éteindre la radio et la télévision le matin et durant les repas, prendre un moment de répit en rentrant du travail au lieu de se précipiter dans la préparation du souper. De plus, ils ont décidé de remettre à plus tard les travaux dans la maison et de faire plutôt des excursions à bicyclette en famille. Ghislain a pris lui aussi deux journées de répit.

Alors que Stéphanie sort de sa bulle et de la lune, fait une caresse à ses parents, jase avec eux avant d'aller dormir, cesse de se relever à tous moments et s'endort facilement, Marie-Pierre regrette que papa et maman soient maintenant du même avis et confie à sa mère qu'elle se sent moins aimée depuis que sa mère fait équipe avec son père. En d'autres mots, Marie-Pierre sent qu'elle a perdu cette place privilégiée, qui pourtant lui aurait causé de sérieux problèmes à long terme.

Six mois plus tard, Monica fait une nouvelle demande à la travailleuse sociale: «J'ai de la misère à me trouver. Je ne me sens pas attirée vers Ghislain. Nous avons des problèmes sexuels. Ghislain mérite mieux que moi.»

Les difficultés en tant que parents étant diminuées, le malaise se vit maintenant dans leur relation de couple. Ils arrivent à se placer l'un à côté de l'autre en tant que parents, mais appréhendent de le faire en tant que conjoints.

Si ces deux personnes choisissent d'alimenter

leur vie amoureuse et de privilégier leur vie de couple, certains proches risquent de se sentir perdants: d'abord, la famille de Ghislain qui continue à solliciter son aide à tout moment, ensuite Stéphanie et Marie-Pierre qui sont habituées de les voir uniquement en tant que papa et maman, à leur disposition. Elles ne les ont jamais vus en tant qu'amoureux et conjoints, osant prendre du temps strictement pour eux.

Vivre une relation de couple insatisfaisante représente sûrement moins de risques pour Ghislain et Monica, que de vivre des problèmes en tant que parents.

L'un et l'autre ont développé plus de tolérance à leurs malaises conjugaux et individuels qu'à leur malaise parentaux. Monica et Ghislain avaient aussi l'impression de s'être complètement perdus en tant qu'individus, dans ce tourbillon d'attentes, de commandes et d'obligations.

Les moyens qu'ils ont pris pour alimenter leur vie conjugale les ont aussi aidés à se retrouver chacun en tant qu'individu. «Les démarches que j'ai faites pour mieux me comprendre et pour avoir une meilleure connaissance de moi-même m'ont permis de me retrouver puis d'être capable d'être bien avec Ghislain», affirme Monica.

Quant à Ghislain, il dit: «Quand j'ai cessé de boire, en 1989, c'était pour mes enfants, maintenant je continue de le faire pour moi, pour mon propre bien-être.»

Ghislain s'exprime ainsi depuis qu'il s'est déchargé de son rôle de «père», de «protecteur», de sa famille d'origine. C'est un geste qu'il a posé très récemment. Il a remis ce rôle, en des mots très clairs, à son propre père. Ce rôle qui pesait lourd sur ses épaules le brimait sans cesse dans sa relation amoureuse avec Monica.

Ça tiraille fort, présentement, dans sa famille d'origine: c'est même l'état de crise. Leurs pressions seront probablement de plus en plus fortes pour tenter de ramener Ghislain entre l'arbre et l'écorce.

Monica a appris à partager avec Ghislain toutes ses remises en question, ses hésitations, ses nombreux «pourquoi». Au lieu de rentrer dans son monde intérieur et de réfléchir toute seule, comme elle l'a toujours fait, ses remises en question deviennent un prétexte pour se rapprocher de Ghislain, pour lui demander son écoute et son appui.

Lorsque Ghislain vit des problèmes et des tensions dans son milieu de travail ou dans ses rapports avec sa famille d'origine, Monica l'écoute tout simplement et se place à côté de lui sans se sentir obligée, comme avant, de régler ses problèmes et d'aller se placer entre l'arbre et l'écorce. Il se sent aussi appuyé par Monica dans ses engagements de bénévolat.

Du côté sexuel, Monica ne vit plus la pression de Ghislain en terme de reproches ou de sollicitations à répétition. Leurs échanges leur permettent de trouver de plus en plus de satisfaction.

Monica et Ghislain ont réussi, à deux reprises, à se payer de courtes vacances en couple. C'est tout un exploit pour eux qui avaient, sans le savoir, toujours confondu responsabilités parentales et responsabilités conjugales. Leur relation amoureuse allait de soi, devant se nourrir exclusivement à travers leur engagement parental. Il était anormal, pour ne pas dire irresponsable et même égoïste, d'investir temps, argent et énergie pour s'occuper de leur relation amoureuse. Il était, par ailleurs, tout à fait dans l'ordre d'investir temps, argent et énergie pour répondre à leurs responsabilités parentales.

La complicité que Ghislain et Monica choisissent d'entretenir à travers les difficultés qu'ils rencontrent permet à leurs filles Stéphanie et Marie-Pierre de faire de même et d'éviter du même coup, le fameux piège de se placer «entre l'arbre et l'écorce».

ET NOUS NOTRE MÉTIER D'ENFANT, C'EST QUOI?

C'EST DE FAIRE PLAISIR À NOS PARENTS POUR QU'ILS NOUS AIMENT.

NON,
C'EST PLUTÔT DE
FAIRE COMPRENDRE À
NOS PARENTS QU'ILS
DOIVENT NOUS FAIRE
CONFIANCE ET NOUS
FICHER LA PAIX.

BABU, BABU!
(TRADUCTION: NOTRE
MÉTIER: MANGER, DORMIR,
SOURIRE, FOUILLER
PARTOUT ET PARDONNER
À NOS PARENTS.)

VIVRE EN DEUIL, LE CŒUR DANS LA MAIN

Claudie Perron
travailleuse sociale
Maison de la Famille de la Rive-Sud, Lévis

Louise et Julien, 34 et 35 ans, vivent en famille recomposée depuis 4 ans. Frédéric, 8 ans, est né du premier mariage de Louise. Bruno, 18 mois, est le fils de Louise et de Julien. Comme couple, ils partagent plusieurs activités, entre autres les sports, les sorties, les lectures et particulièrement les livres sur l'éducation des enfants.

L'arrivée de Bruno a été bien acceptée de Frédéric. Il parle de lui en termes affectueux, il aime s'amuser avec «son petit frère». Louise et Julien avaient prévu une réaction de jalousie de la part de Frédéric. Afin de diminuer ce risque, ils ont appliqué des techniques pour faciliter son adaptation à la venue d'un nouvel enfant. (Un des adultes était plus attentif à Frédéric quand l'autre adulte était avec Bruno.) Louise et Julien estiment important de pratiquer des activités avec toute la petite famille.

Depuis un certain temps, Louise et Julien vivent difficilement leur relation avec Frédéric. Celui-ci ne respecte pas l'heure du coucher, laisse traîner ses vêtements, se montre grossier envers les visiteurs et fait tout le contraire de ce qu'on lui dit. En fait, il fait tout pour se faire disputer. De leur côté, Louise et Julien passent leur temps à crier après lui et à l'envoyer réfléchir dans sa chambre. Ils se sentent tellement démunis qu'ils pensent même à le placer en famille d'accueil.

Il y a un an, le père de Frédéric s'est suicidé. Auparavant, Frédéric voyait son père une fin de semaine sur deux. Ce qu'il aimait le plus, c'était de jouer à la bataille et de rire en se chamaillant. Louise dit que Frédéric a pleuré quand il a su que son père était décédé. Elle lui a expliqué qu'il s'était suicidé et Frédéric a dit «Il n'aurait pas dû faire ça. Si je l'avais su, il ne serait pas mort.»

La relation entre Julien et Frédéric s'est détériorée depuis environ 8 mois. Auparavant, Frédéric aimait se coller contre Julien et jouer avec lui. Maintenant Julien trouve moins agréable les contacts avec Frédéric car il ne fait que des mauvais coups.

Louise et Julien ont lu plusieurs livres sur le rôle des parents. Ils veulent se donner tous les moyens et les trucs possibles pour réussir. Ils ont instauré plusieurs systèmes de récompense afin que Frédéric soit motivé à écouter, entre autres un calendrier sur lequel sont cochés les jours où il fait ses devoirs seul, un autre pour quand il est poli. Chaque bon coup est noté ainsi que chaque mauvais coup. À la fin de la semaine, il y a davantage de mauvais coups que de bons, donc aucune récompense. Cela durait depuis plusieurs mois. Ils ont tenté la douceur, le raisonnement, mais rien n'a changé.

En parlant à des amis, Louise et Julien se sont rendu compte qu'ils en faisaient trop. Le fait de comptabiliser les mauvais coups pouvait être suffisant pour décourager n'importe quel enfant. Ils ont donc décidé d'instaurer un seul système, celui des récompenses afin de modifier un seul comportement. Frédéric devait faire ses devoirs seul dans sa chambre et non dans la cuisine.

Trois semaines plus tard, Frédéric faisait toujours ses devoirs dans sa chambre par contre il continuait de déranger et de s'attirer des punitions par d'autres moyens.

Louise et Julien disaient souvent: «On dirait vraiment que Frédéric cherche à se faire battre, à se faire disputer.» Une intervenante leur a confirmé qu'il se sentait responsable, coupable de la mort de son père et qu'il faisait des mauvais coups pour se faire punir. À plusieurs reprises, Frédéric disait que s'il avait consolé son père, il ne serait pas mort.

Louise décida d'acheter un livre sur les étapes du deuil. Sur une période de trois mois, elle se donna comme objectif de se réserver environ six périodes seule avec Frédéric afin de l'aider à exprimer sa peine et sa colère découlant du décès de son père. Elle désirait aussi permettre à Frédéric de se rendre compte que même s'il avait voulu sauver son père, il n'aurait rien pu faire. C'était une décision d'adulte. Frédéric a accepté. Il parlait de son cœur qui souffrait; la moitié de son cœur rouge avait de la joie et l'autre moitié de la peine. Il disait aussi que dans la partie de son cœur qui avait de la peine, il y avait Frédéric, 7 ans, qui pleurait quand il a appris que son père était mort et qu'il ne le reverrait plus. Il parlait beaucoup de ses jeux et de ses rires avec son père.

Louise a demandé à Frédéric ce qui permettrait de consoler la peine du petit Frédéric en dedans de lui. Il a répondu: «en le berçant». Alors, elle lui a dit qu'à chaque fois qu'il penserait à son père et qu'il aurait de la peine en image dans son cœur, il pourrait bercer le petit Frédéric pour le consoler. Elle a ajouté que le grand Frédéric avait aussi le droit de demander à sa mère de le consoler. Frédéric se permit donc de demander à sa mère de le bercer, il a même demandé à Julien de le faire.

Louise et Julien discutaient beaucoup des images que Frédéric avait de sa peine. Ils trouvaient fantastique de voir qu'à chaque fois que Frédéric disait qu'il avait dû bercer le petit Frédéric de 7 ans, il leur montrait avec ses mains de quelle grandeur était rendue la peine dans son cœur. Louise continua de lui porter une attention particulière jusqu'au jour où Frédéric lui dit que dans son cœur il n'y avait plus de peine, (il lui montra une main fermée complètement, comme un poing, il n'y avait plus d'espace). Frédéric lui dit qu'il continuait à s'ennuyer de son père, mais que le petit Frédéric n'avait plus de peine.

Le plus grand changement dans cette famille s'est produit lorsque Louise s'est rendu compte, à travers sa démarche, qu'elle avait mesuré l'amour qu'elle portait à ses garçons, Frédéric et Bruno, à celui qu'elle avait pour leurs pères. Elle prenait conscience que sa relation avec le père de Frédéric avait été difficile et qu'ainsi sa relation avec Frédéric devait être difficile aussi. Louise se rendit compte qu'elle voyait Frédéric autrement depuis qu'elle le distinguait de son père.

Environ six mois plus tard, Frédéric est encore un garçon qui aime bouger, qui est agité. Cependant, Louise et Julien disent que ça va mieux. «Maintenant nous l'acceptons tel qu'il est.»

REFUSER ENSEMBLE LA VIOLENCE

Monique Vachon
travailleuse sociale
CLSC Laurentien, Val-Bélair

Il était une fois Laval, un homme en mal d'ami. En se rendant au bistro, il rencontre un confrère en compagnie d'une jolie jeune femme, Cléo; il décide de se joindre à eux. Au cours de la conversation avec Cléo, Laval mentionne qu'il ne sort pas souvent à cause de la difficulté de trouver une gardienne pour sa fille qui habite actuellement avec lui. Cléo, toujours prête à rendre service, propose ses services. La soirée s'achève, chacun rentre chez soi mais Laval se rend compte qu'ils ont oublié d'échanger leurs numéros de téléphone. Peu de temps après, Laval, débrouillard, réussit à rejoindre Cléo et retient ses services pour garder sa fille pendant qu'il sortirait.

Ce soir-là commence l'idylle qui dure encore malgré des moments très difficiles. À l'arrivée de Cléo, Laval oublie la sortie projetée et ils passent la soirée à bavarder. Par la suite, ils se voient beaucoup et l'été suivant, ils habitent ensemble. Laval a 32 ans, ses deux filles, qui vivent avec leur mère, ont 10 et 12 ans; Cléo a 19 ans et gère une petite entreprise.

Dès le début de leur vie commune, la cadette de Laval vient vivre avec eux. Lorsque Cléo devient enceinte, l'aînée des filles, à son tour, vient se joindre à la famille. Cléo donne naissance à une petite fille. Elle, qui jusqu'alors ne s'était occupée que de ses études et de son travail, a la charge de trois enfants dont deux à peine moins âgées qu'elle. Heureusement, les enfants ne lui font pas peur; elle a vécu dans une famille aimante où il y avait toujours de la place pour tout le monde. Par contre, elle n'est pas du tout préparée à la violence verbale de son conjoint. Dès le début de leur union, les attaques verbales, la grossièreté et les injures ont commencé. Cléo ne sait pas comment réagir, elle n'a jamais expérimenté ce genre d'abus ni dans sa famille ni dans son entourage. Elle réplique donc avec des flèches de plus en plus acérées.

Les deux époux ont leur carrière, et en plus des deux enfants de Laval et de leur fille, un neveu de dix-huit ans habite avec eux. Ils ont beaucoup de choses en commun. Ils sont de bons parents et ont des loisirs intéressants qu'ils adaptent à leur vie de famille. Ils sont bien ensemble sauf lorsqu'il y a conflit et que Laval devient violent. Cléo, quant à elle, ne peut s'empêcher d'«asticoter» son conjoint. La violence fait partie de la vie de Laval. Il a été élevé en réglant les conflits par la violence; pour lui, se battre afin de régler un problème est normal, il ne comprend donc pas la réaction de Cléo à ses abus verbaux.

Après deux ans et demi de vie commune, ils ont un fils. Lorsque Philippe a deux ans, Cléo connaît le premier épisode de violence physique et elle quitte la maison. Elle se réfugie dans sa famille avec ses enfants. Laval se sent très frustré; lui aussi aurait envie de partir lorsque les conflits sont trop difficiles, mais il n'a personne chez qui se réfugier; sa famille est loin et il n'a pas d'amis assez intimes pour demander l'hospitalité lorsqu'il a des problèmes conjugaux.

En 1984, ils vivent une scène particulièrement violente. Les injures et les insultes fusent. Laval défonce un mur, le répare et quitte la maison. Pendant son absence, Cléo, qui ne peut digérer ce qu'elle a entendu et qui veut lui rendre la monnaie de sa pièce, écrit au crayon feutre sur le mur fraîchement réparé les pires insultes proférées par Laval. Quand il revient du travail, et qu'il voit le mur, il entre dans une rage folle et se met à frapper Cléo. Encore une fois, Cléo quitte la maison. À la suggestion de Laval et de la mère de Cléo, le couple décide de consulter.

Les premières entrevues sont très orageuses. Cléo souffre encore physiquement et psychologiquement des coups reçus. Laval refuse d'être le seul responsable des problèmes du couple. Après quelques séances, Cléo comprend qu'elle aussi est responsable de ce qui se passe tout en n'étant pas responsable de la violence de son conjoint. Laval, quant à lui, est heureux de ne plus être reconnu comme le seul responsable des conflits, ce qui ne l'empêche pas de nier la responsabilité de ses actes violents. Le couple décide de reprendre la vie commune et arrête la consultation.

Pendant quelques années, je n'ai plus eu de nouvelles d'eux. À l'automne 1988, Cléo me téléphone. Elle a de nouveau quitté Laval après une chicane qui s'est terminée par un coup de pied. Elle est partie pendant la nuit et comme Laval lui défendait de réveiller les enfants et qu'elle avait peur, elle est partie seule. Pendant la journée, elle va travailler à la maison où elle gère une petite entreprise et elle repart quand Laval revient de son travail.

Cela fait maintenant plus de dix fois qu'elle quitte le domicile conjugal et elle semble bien décidée à ce que ce soit la dernière. Elle revient parce qu'elle a pitié de son conjoint et qu'elle ne peut supporter de le voir malheureux ou parce qu'il menace de se suicider. Elle continue à aller travailler à la maison le jour et à s'en aller lorsque Laval arrive. Un jour, il lui dit qu'il se ferait aider si elle revenait à la maison. Cléo hésite, surtout qu'elle reconnaît avoir le tour de lui dire ce qu'il faut pour le mettre en colère. Laval veut garder les enfants et ceux-ci veulent demeurer à la maison. Cléo ne peut envisager de faire expulser Laval de sa maison, ni de le priver de la garde des enfants. Bien plus, si elle apprenait qu'il est malheureux, elle reviendrait tout de suite vivre avec lui.

Pour prendre un peu de distance, elle décide d'aller visiter ses parents la fin de semaine suivante. Laval commence par lui dire qu'il a besoin de l'auto, puis qu'il veut aller avec elle, puis qu'il veut qu'elle vienne à la maison. Bref, tout ce qu'il peut trouver pour contrôler sa fin de semaine. Cléo finit par décider d'aller chez ses parents. S'il l'accuse de fuir ou de se protéger, elle va lui dire qu'effectivement, elle se protège et qu'elle ne veut plus vivre dans la violence.

Laval et Cléo continuent de se voir, ils sont bien ensemble quand ils réussissent à éviter les chicanes. Cléo commence à s'ennuyer des enfants, elle ne les voit qu'après l'école. Les parents négocient une garde partagée et arrivent à une entente. Pendant ce temps, Laval continue de vouloir contrôler Cléo: quand il ne réussit pas à le faire directement, il passe par les enfants. Cléo se rend compte qu'elle aime encore Laval et celui-ci lui répète qu'il ne va se faire aider que si elle revient à la maison.

Deux semaines plus tard, l'épouse a réintégré le domicile conjugal. Au début, elle couche à la maison parce qu'elle travaille très tard. Puis Laval invite la famille pour une fête d'enfants; elle est donc restée toute la fin de semaine et elle ne sait pas pourquoi elle est restée ensuite. Elle est inquiète de son conjoint, elle a peur qu'il ne soit pas bien, elle ne peut l'imaginer seul pour le temps des fêtes. Toutes ces inquiétudes lui rappellent que lorsqu'elle était petite, elle devait jouer avec les enfants à problèmes, ses parents l'exhortaient à être «fine» avec eux et elle se demande si ce n'est pas pour cette raison qu'elle a choisi un homme à problèmes. Elle se pose beaucoup de questions parce qu'elle ne se sent pas bien à la maison. Elle hésite à partir de nouveau et encore plus à demander à Laval de partir! C'est l'impasse.

La semaine d'après, Laval appelle au CLSC pour s'inscrire au groupe «Coup de main» (Groupe de thérapie pour conjoints violents). Nous avons notre première rencontre le 28 novembre et après une évaluation individuelle, il se joint au Groupe au mois de janvier.

Les moments difficiles et les querelles continuent. Cléo couche au sous-sol. Laval ne l'accepte pas. Cléo est championne de l'«asticotage», elle sait trouver le mot qui convient pour attiser la colère de Laval. Laval est rebelle, il refuse de faire ce qu'on lui impose et perçoit comme tel le fait que Cléo couche au sous-sol.

Tous deux continuent leur démarche, lui au Groupe de thérapie; elle, en consultation individuelle. Ils commencent à accepter leurs responsabilités dans les problèmes de couple.

Cléo s'attend à ce que Laval devine ce qu'elle veut. Laval n'exprime pas ce qu'il ressent, quand la coupe est trop pleine, elle explose.

Peu à peu, Cléo décide de se protéger et Laval de prendre la responsabilité de ses actes. Quand il est fâché, il prend une pause qu'elle respecte, puis quand il revient, il lui dit ce qui le fâche. Cléo, elle, n'espère plus qu'il devine ses désirs.

Se parler ouvertement amène parfois des conflits, mais maintenant ils arrivent à les solutionner sans violence. Cléo n'a plus peur de Laval et s'efforce d'éviter les sarcasmes lorsqu'il est en colère.

J'ai revu le couple il y a quelques semaines et je leur ai demandé ce qui les a le plus aidés. Pour Laval, le tournant décisif a été de reconnaître qu'il est responsable de ses actes «mon bras ne part pas tout seul». Aussi, le fait que le Groupe accueille de nouveaux participants à mesure que certains partent, l'a beaucoup aidé. Pendant les premières rencontres, de voir et d'entendre des hommes qui étaient aussi violents que lui commencer à maîtriser leur violence l'encourageait et le stimulait. Plus tard, lorsqu'un nouveau blâmait tout le monde et en particulier sa conjointe, il pouvait mesurer le chemin parcouru.

Pour Cléo, le pas le plus important a été de se rendre compte qu'elle n'était pas responsable de la violence de Laval et par le fait même qu'elle n'avait pas à se sentir coupable de cette violence. C'est à partir de ce moment qu'elle a pu commencer à se protéger. Puis, elle a compris qu'elle était aussi responsable que lui des conflits conjugaux et qu'elle devait travailler autant que lui pour trouver des solutions aux problèmes.

Depuis trois ans, ils continuent à mener une vie intéressante et pleine. Chacun respecte le travail de l'autre, ils s'entendent bien comme parents, ils ont des loisirs intéressants ensemble et toujours beaucoup d'«obstinages». Il y a eu un épisode violent depuis qu'ils ont cessé la consultation, Laval a cassé une chaise. Tous deux ont réagi fortement à cet épisode, ils ne veulent pas que la violence recommence. Ils en ont reparlé avec humour plutôt qu'en s'accusant et ont revu les moyens qu'ils connaissent pour éviter la violence. Ils sont tous deux décidés à continuer leur vie de couple et à régler les conflits par la négociation. Ils sont moins naïfs et ils savent aussi que l'«amour ne suffit pas».

ÇA VEUT DIRE QU'ON VA CONTINUER À SE TAPER DESSUS, GRAND-PÈRE?

NON, ÇA VEUT DIRE QUE NOUS AVONS TOUS À APPRENDRE À ÊTRE ASSEZ PATIENTS ET COURAGEUX POUR ÊTRE TENDRES.

L'ADOLESCENCE: SUBIR UN PROCÈS OU APPRENDRE À AIMER

Denise Richard et Robert Mendreshora
intervenants bénévoles
Maison de la Famille A.R.C. de Québec

Anne et Frédéric vivaient ensemble depuis environ deux ans lorsqu'ils sont venus au Groupe d'entraide pour la première fois. Les problèmes de comportement et de drogue de Véronique, la fille de 15 ans d'Anne, les y incita. La famille, depuis peu reconstituée, était composée de deux autres enfants: Julien, 12 ans, deuxième enfant d'Anne, et Nicolas, le fils de Frédéric, âgé de 9 ans. Malgré toute la bonne volonté d'Anne et de Frédéric, et après maintes interventions auprès de Véronique, le couple décida de s'adresser à la Direction de la Protection de la Jeunesse pour être conseillé et orienté. Une travailleuse sociale les écouta et après avoir analysé le dossier, les référa au groupe d'entraide «Parents d'adolescents», à la Maison de la Famille.

Dès la première soirée, Anne et Frédéric se sentent bien acceptés par le groupe, et surtout, écoutés sans être jugés. Le groupe de parents les écoute sans toutefois leur dire ce qu'ils auraient dû ou ce qu'ils devraient faire, sans non plus leur faire part des erreurs qu'ils ont pu commettre auparavant.

Le groupe est composé de parents qui ont vécu ou vivent encore des situations difficiles par rapport à leurs adolescents. Aucun professionnel de la santé (travailleur social, psychologue, etc.) n'est présent, ce qui n'empêche pas d'inviter des personnes-ressources à l'occasion, selon le besoin et à la demande des parents membres. Quel soulagement pour Anne et Frédéric que de briser l'isolement dont ils souffrent depuis plusieurs mois déjà! Les guides du groupe font savoir au couple qu'il est très important que leur démarche soit faite pour eux-mêmes, que l'objectif visé doit être d'apprendre à «vivre heureux» à travers la crise de leur adolescente. Dès le premier soir, le couple repart très soulagé. Ils sentent qu'ils ne sont pas seuls, ils sont heureux de pouvoir enfin se confier à des gens qui ne jugeront ni leur comportement ni celui de l'enfant.

Il y a deux ans que Véronique a des problèmes de drogue. La situation conjugale d'Anne et de son ex-conjoint était à ce moment très fragile. Il y avait aussi la maladie qui était venue s'installer: on avait diagnostiqué un diabète chez Julien, ce qui demandait un surplus d'énergie et d'attention de la part de la mère. Sans que personne ne s'en rende compte, Véronique a commencé à s'adonner à la drogue, prenant l'exemple de son père qui en consommait régulièrement sans se cacher. Le père s'étant éloigné des problèmes familiaux, Anne se retrouvait seule et démunie devant le problème. C'est alors que le couple décida de se séparer.

Peu de temps après, Frédéric, veuf depuis trois ans, entra dans la vie d'Anne. Au début, les enfants semblaient très contents d'avoir un homme capable de les écouter et de les faire rire. Peu à peu, constatant que cette situation n'était pas temporaire et qu'Anne appréciait davantage le support et la tendresse de Frédéric, la révolte s'installa. Véronique et Julien acceptaient de moins en moins que leur mère refasse sa vie avec un conjoint. La situation s'envenimait. Véronique était de plus en plus absente de la maison, Julien commençait aussi à manifester de la révolte. Le petit Nicolas semblait plutôt indifférent à la situation. Il ne voyait que le beau côté des choses. Une nouvelle maman, un grand frère et une grande sœur qui animaient ses journées, enfin, une famille.

De façon assidue, Anne et Frédéric assistent aux rencontres du Groupe d'entraide et dès les premières semaines, ils mettent en pratique les conseils et les suggestions qu'ils retiennent de tous les parents présents. Petit à petit, ils acceptent de ne pas être des parents parfaits. Anne apprend à assumer la culpabilité qui la ronge et la fait tant souffrir, et envisage l'avenir avec optimisme plutôt que de revenir sans cesse sur les erreurs du passé. Il lui est très difficile de constater les erreurs qu'elle a pu commettre dans l'éducation de ses enfants. Elle regrette infiniment de n'avoir pas tenté davantage de se mettre d'accord avec son ex-conjoint quand ils avaient à intervenir auprès des enfants, sachant qu'ainsi, elle les aurait davantage sécurisés. Frédéric, lui, se sert des expériences des membres du Groupe pour changer son attitude auprès des enfants d'Anne. Il apprend à les laisser venir vers lui plutôt que d'essayer de les conquérir en s'imposant à eux. Tous les deux acceptent aussi de ne pas être les amis de leurs enfants, comprenant que si les parents ne jouent pas leur rôle de parent, personne ne le fera. Il est plutôt difficile de jouer les deux rôles à la fois, mais des amis, les enfants en ont plus qu'il ne leur en faut.

Avec le Groupe d'entraide, ils apprennent à se faire confiance, à s'aimer assez pour accepter que, pendant un certain temps les enfants les rejettent. C'est très difficile, mais la force du groupe vient à la rescousse. Selon le mode de fonctionnement du groupe, les membres doivent, à chaque semaine, se fixer un objectif qu'ils doivent réaliser durant la semaine qui suit. Les membres doivent apprendre aussi à respecter leurs limites en prenant un objectif qu'ils se sentent capables d'accomplir. Le rythme de tous et chacun est respecté, de la même façon qu'aucun problème n'est mesuré. Chaque parent a droit à ses limites: ce qui peut paraître banal pour une personne ne l'est pas nécessairement pour une autre.

Petit à petit, Anne apprend à se confier au groupe. Tant de fois elle a tenté de le faire auprès des membres de sa famille ou des amis. Chaque fois, elle s'en trouvait plus peinée; on avait toujours tendance à plaindre sa fille plutôt que de manifester de la compassion envers elle. Ce qu'elle recherchait pourtant, c'était de la complicité, de la compréhension. Au contraire, on la culpabilisait. Pourtant, avec le Groupe, à chaque fois qu'Anne peut manifester sa colère contre sa fille, elle finit par mieux la comprendre et cela l'amène à éprouver plus de tendresse envers Véronique. Les membres du Groupe acceptent qu'elle exprime ses peines et ses colères.

L'amour semble toujours l'issue de toute situation, parce que justement, tous savent à quel point nous pouvons aimer nos enfants. Mais cet amour inconditionnel pour nos enfants peut parfois, et même souvent, devenir un obstacle. Il est tellement facile de laisser toute la place aux enfants, de ne plus rien garder pour soi. L'enfant a besoin d'amour, bien sûr, mais il a aussi besoin d'être limité dans ses actions, ses paroles, ses gestes: il a besoin de balises qu'il ne peut lui-même fixer. À cause de son manque de maturité, il a besoin d'être sécurisé par des parents qui lui disent quand et où s'arrêter. Il est tellement plus facile pour un parent de dire «oui», un «non» provoquant souvent blâme et rejet.

Anne et Frédéric vivent à la maison des hauts et des bas. Les larmes leur viennent souvent lorsqu'ils racontent au groupe la semaine qu'ils viennent de vivre: «Véronique est de plus en plus droguée; elle est très agressive et parfois même violente physiquement envers son frère. La communication est complètement coupée. Je l'ai complètement perdue, je me demande comment j'arriverai à la retrouver. Je m'ennuie d'elle, je m'ennuie de l'aimer. J'aimerais tellement avoir le goût de la serrer dans mes bras: mais elle n'est plus la même, elle est devenue quelqu'un d'autre que j'ai beaucoup de peine à aimer... et je me sens tellement coupable.»

En racontant leur peine, Anne et Frédéric se rendent compte que Véronique est en train de détruire leur vie familiale. Les membres du groupe les aident à comprendre qu'ils n'ont pas à prendre le problème pour eux, qu'ils ont à le remettre à la responsable, Véronique. Souvent, ils lui répètent: «Véronique, ce n'est pas nous qui avons un problème de drogue, c'est toi et tu auras à le régler, nous ne pouvons pas le faire à ta place. Par contre, nous serons toujours là pour t'aider quand tu le voudras et que tu seras prête.»

La situation s'envenimait de plus en plus à la maison. Anne et Frédéric se sont vus dans l'obligation de dire à Véronique de faire un choix: «Si tu veux continuer à vivre avec nous, tu devras faire ce qu'il faut pour régler *ton* problème de drogue. Ce n'est plus possible que tu continues à nous rendre la vie aussi insupportable ici. Toute la famille est malheureuse depuis que tu consommes de la drogue. Nous t'aimons et nous ne demandons qu'à t'aider.» Véronique décide de quitter la maison et de partager un appartement avec quelques amis. Anne est très inquiète et essaie tant bien que mal de prendre contact de temps à autre avec sa fille. Elle lui écrit régulièrement pour lui exprimer ses sentiments. Cette situation dure environ six mois. Les parents, apprenant que Véronique consomme de plus en plus, la préviennent que, étant donné qu'elle ne prend pas ses responsabilités et qu'elle ne donne aucune preuve de bonne volonté, ils se voient dans l'obligation de lui servir un ultimatum: «Si tu n'es pas revenue à la maison d'ici trois semaines, nous devrons avoir recours à la Direction de la Protection de la Jeunesse pour te récupérer. Tu es mineure et nous sommes responsables de toi.»

Véronique revient à la maison. La famille est soulagée et prête à l'aider. Enfin, quelques semaines après son retour, un soir, Véronique frappe à la chambre d'Anne et de Frédéric: «Je n'en peux plus, voulez-vous m'aider à régler *mon problème?*» Frédéric avait déjà entrepris des démarches auprès des maisons de désintoxication et fait ce qu'il fallait pour orienter Véronique. Très vite, à peine quelques jours plus tard, ils allaient reconduire Véronique dans une maison spécialisée.

Après son séjour, Véronique est enchantée de ce qu'elle a appris. Elle est remplie de bonnes intentions et jure de ne jamais retoucher à la drogue. Mais ce n'est pas si facile: revenue dans son milieu, la tentation est beaucoup plus forte.

Anne et Frédéric continuent d'aller aux rencontres du groupe de façon assidue. Ils y retrouvent la force et l'énergie pour ne pas lâcher. On leur conseille d'imaginer Véronique complètement sortie de son impasse, de se convaincre qu'un jour elle sera bien dans sa peau, qu'elle sera une adulte saine et heureuse. Le groupe les aide surtout à continuer à vivre le plus heureusement possible malgré cette situation difficile. Il leur conseille de penser à eux, de ne pas s'oublier, ne pas oublier les deux autres enfants qui ont tant besoin d'eux. Une phrase leur est souvent répétée: «Le meilleur exemple à donner à nos enfants est celui d'être heureux.»

Maintenant que Véronique est revenue, elle doit organiser sa vie. Elle doit faire un choix: retourner à l'école ou travailler? Véronique choisit de travailler. Le couple doit apprendre à Véronique à subir les conséquences de ses choix. Si elle choisit de mener une vie d'adulte en gagnant sa vie, elle doit verser une pension à la maison, ce qu'elle respecte.

Tout n'est pas rose lorsque Véronique commence à amener son ami à la maison. Le couple se voit obligé de fixer des limites aux visites du petit ami. Véronique a bien du mal à accepter cela. De plus, elle a des rechutes et s'est mise à boire. Le couple doit surveiller les réserves d'alcool. Ils constatent maintenant que Véronique leur vole de l'argent. La situation se gâte encore une fois et Véronique décide de quitter la maison et d'aller vivre avec son ami.

Ce départ est mieux accepté. La panique ne s'empare pas d'eux comme la première fois. Véronique reprend contact avec la famille et la communication s'améliore peu à peu. Un an plus tard, Véronique, alors âgée de 18 ans, est délaissée par son ami. Elle demande à Anne et Frédéric de revenir à la maison. Ce n'est pas sans peine qu'Anne lui explique qu'un retour n'est pas possible: «Je crois que pour toi, ce n'est pas la meilleure solution, tu dois apprendre à t'assumer. Toi qui as connu la liberté, je crois qu'il te serait difficile de te soumettre de nouveau aux règles de la maison. Nous avons maintenant une bonne relation et je tiens à la garder. Je te promets d'être toujours présente, disponible et de t'aider dans tout ce que tu entreprendras mais je crois sincèrement que pour nous deux il est préférable que nous ne vivions plus dans la même maison.»

Les deux années qui suivirent cet événement n'ont pas toujours été faciles. Anne a compris qu'il ne servait à rien d'essayer d'évacuer la culpabilité quand celle-ci ronge de toute façon. Elle a décidé d'assumer cette culpabilité, de vivre avec, de façon à demeurer sereine avec ses enfants. Être parent est probablement, pour bien des êtres humains, la chose la plus difficile au monde et les enfants sont probablement les seuls êtres que l'on aime de façon inconditionnelle. Malheureusement, dans certains cas, l'amour ne suffit pas à la dynamique parents-enfants pour assurer le bonheur.

Anne écrit à sa fille:

Bonjour chère Véronique,

Je crois que je suis en train de régler certains de mes problèmes de culpabilité par rapport à toi. J'imagine souvent tout ce que tu as pu souffrir quand, dans ma vie, pour une période, j'ai décidé de recevoir, d'accepter l'amour d'un homme qui n'était pas votre père. Je comprends que j'aie pu te manquer et je le regrette infiniment, c'est comme si je n'avais pu faire autrement. Aujourd'hui je te demande pardon. Je tiens à savoir que tu me pardonnes; ça m'aiderait à continuer... J'ai besoin de me pardonner à moi-même pour mieux vivre ma vie de femme. Je n'ai jamais voulu vous faire du mal à toi et à ton frère. Je vous aime d'un amour qui ne se mesure pas. Je m'en voudrais toute ma vie si je savais que mon manque de disponibilité vous empêche d'être heureux.

Je t'aime de tout mon cœur!

Ta mère

Le temps, comme Anne l'a entendu répéter tant de fois par le Groupe d'entraide, sait arranger les choses. Il faut savoir se faire confiance comme il faut savoir accepter que la sagesse ou plutôt la maturité vienne avec le temps, l'expérience et surtout l'amour.

Dans cette démarche, le Groupe d'entraide apporte le soutien, la force, la complicité, l'amitié et aussi l'expérience de plusieurs personnes. Il fait comprendre tellement de sentiments… un bagage avec lequel on part toutes les semaines et qui finalement aide à se comprendre soi-même.

Anne affirme après toutes ces années:

«Ce groupe a changé ma vie. Il m'a appris à me respecter, et ce, non seulement par rapport à mes enfants, mais avec ma famille, mon mari et mes amis. J'ai appris de plus en plus à être heureuse avec ce que je suis et ce que j'ai. Je me suis souvent fouettée, je me suis fait violence. Il est incroyable de constater à quel point ces enfants m'ont fait prendre confiance en moi: ils m'ont permis d'aller chercher au fond de moi-même cette force que j'ignorais. Maintenant, j'ai davantage confiance en moi. Et ce que je souhaite de tout cœur à mes enfants c'est d'avoir confiance en eux suffisamment avant de mettre au monde des enfants qui auront besoin de cette confiance pour se sécuriser.»

Nos enfants naissent alors que nous entrons à peine dans le monde des adultes. Il n'existe pas d'école où nous pourrions apprendre à devenir parents. C'est pour cela qu'il ne faut pas hésiter à chercher de l'aide auprès d'autres parents.

CES PARENTS SONT SANS CŒUR! ILS ONT LAISSÉ LEUR FILLE SE DÉBROUILLER TOUTE SEULE.

POUR MOI, CES PARENTS AIMENT TELLEMENT LEUR FILLE QU'ILS LUI ONT MIS DES LIMITES

MESSAGE D'AMOUR
D'UNE FAMILLE ADOPTIVE

Jany Radoux et Marie Gosselin
psychologues et intervenantes bénévoles
aux Maison de la Famille de Sainte-Foy et de la Rive-Sud

Nous avons connu Lucette dans un Groupe d'entraide à la Maison de la Famille. Elle revint quelquefois pour nous donner des nouvelles.

Lorsque nous lui avons demandé d'écrire son histoire d'adoption, elle se montra pleine d'enthousiasme et insista pour nous rencontrer.

★

★ ★

On dit toujours: «Ils ont adopté deux enfants!», mais on oublie que les enfants doivent aussi adopter les parents.

Nous étions là, Jacques et moi, débordants de tendresse parentale inemployée. Mais les enfants, eux, expédiés dans un continent qui ne correspondait en rien à leurs racines, comment voulez-vous qu'ils survivent si ce n'est en baignant dans l'amour?...

Dès le premier jour, lorsque j'ai pris Julie dans mes bras, petite rebelle, sauvage, de 15 mois, abandonnée à la naissance, j'ai compris qu'elle ne m'attendait pas et que je devais à tout prix créer le lien qui n'existait pas, le cordon ombilical.

Deux ans plus tard, nous étions de nouveau à l'aéroport pour accueillir «son petit frère», Claude. Sur la photo que nous avions de lui, son regard de vieillard triste nous faisait douter de pouvoir un jour faire sourire ce petit bonhomme de deux ans, abandonné lui aussi et dont l'état de santé nous inquiétait. Nous disposions seulement de deux moyens pour y arriver: un médecin de famille, ami et compétent, ainsi que notre immense tendresse.

Dès qu'il vit Jacques, Claude lui tendit les bras en prononçant un «baba» plein d'espoir. L'alchimie de leurs cœurs s'était miraculeusement réalisée. Claude était réellement accroché à son nouveau père... Je l'ai si souvent vu guetter pendant des heures son retour du travail, assis derrière le rideau.

Mais pour Julie, rien ne paraissait aller de soi. Il fallait toujours la rassurer: tout devait passer par ma bouche, les mots comme la nourriture. J'ai dû l'apprivoiser, la bercer des années durant, pour l'endormir ou la consoler. Combien de fois ne m'a-t-elle pas dit: «Mais moi, maman, ce que je voulais c'était sortir de ton ventre à toi, car lorsque je me regarde, je ne te ressemble pas.»

Que faire devant ses révoltes? Elle ne comprenait pas que nous ne pouvions pas faire venir ses parents au Québec. Et pourtant, je n'ai pu entourer Julie comme je l'aurais voulu car durant ces années-là, la santé de Claude (tuberculose, malformation cardiaque) nous obligeait à jouer une partie serrée contre la mort. Lorsque le médecin le déclara hors de danger, il avait 10 ans et il se lança dans le sport avec une sorte d'ivresse sans doute compensatoire.

Ainsi, vous aviez gagné la première manche!

Pour Claude, oui, ce fut une grande victoire sur la maladie! Mais à cette époque, Jacques avait de grosses difficultés depuis la mort de son père. Les affrontements entre Julie et lui étaient fréquents. Julie avait alors sept ans et je prenais plus souvent son parti que celui de mon mari. Julie, devant nos chicanes de parents ou d'époux cherchait par tous les moyens à me protéger. Nos relations familiales étaient hypertendues...

Mais le pire nous attendait à travers ce diagnostic: «Madame, Julie est atteinte d'une psychose maniaco-dépressive, probablement congénitale. C'est incurable! On vit avec cette maladie et lorsque l'état de la patiente le nécessite, elle doit être hospitalisée en psychiatrie.» Ma fille, malade mentale! Ils sont tous fous ces psychiatres! Surtout ne pas la laisser entre leurs mains, ne pas les croire. JE NE VEUX PAS! On s'aime assez pour pouvoir se passer d'eux... et pourtant...

Que s'est-il passé?

La maladie a été identifiée chez Julie à l'âge de 12 ans. Vers la fin de sa première secondaire, j'ai dû aller la chercher à l'école, complètement bloquée par une crise «tétanique». On nous expliqua alors, ce que nous ignorions totalement, que, depuis le début de l'année, Julie était la cible d'une bande de jeunes qui tenaient des propos racistes.

Bien sûr, à la maison, son comportement avait changé mais nous pensions sincèrement que ses sautes d'humeur et son caractère plus fermé étaient les signes d'une adolescence difficile. La première année, nous sommes restés sans dormir pour l'empêcher de se suicider. Un jour, dans cet état dépressif, elle m'a crié: «Maman, si tu m'aimes comme tu le dis, tue-moi! Car moi je sens que je deviens folle...» Je ne pouvais que lui répondre: «Non, Julie, je ne te tuerai pas, je continuerai à t'aimer et vous vivrons tout cela ensemble.»

Par quelles étapes avez-vous dû passer pour mener un tel combat?

Il n'était plus possible pour Julie de fréquenter régulièrement l'école, même si en dehors de ses crises tout semblait rentrer dans l'ordre. Sur l'avis du médecin, elle fréquenta un centre pour psychotiques. Tout en moi s'y opposait. Ma fille n'était ni folle ni débile profonde. Nous ne supportions ni l'une ni l'autre d'être séparées durant une semaine. Il me semblait que son état empirait mais tous les intervenants du milieu niaient mes craintes. Au bout d'un mois, je l'en ai retirée définitivement.

Heureusement, des personnes chères me soutenaient et m'aidaient à trouver une autre issue, bien que ce fût à nouveau une institution pour mésadaptés socio-affectifs. Le milieu me paraissait plus familial. J'y connaissais plus ou moins un travailleur social. Je n'avais pas d'autre alternative mais pour moi, l'institution à nouveau me volait mon enfant pour se substituer à moi. Pendant ces deux années, j'ai senti qu'à travers les différentes thérapies que j'ai entreprises bon gré mal gré, on souhaitait que je m'éloigne de Julie. En apparence, je me soumettais, j'étais trop fatiguée, mais plus ils essayaient de nous détacher, plus nous resserrions nos liens.

Julie y était bien traitée. Elle fréquentait l'école attenante à l'institution, mais elle se durcissait, tant elle mettait d'énergie à se contrôler. Elle m'avait dit: «Je me retiendrai d'être mal jusqu'à ce que je sois chez nous» et ses crises survenaient pendant ses congés ou ses vacances, si bien que l'institution nous en rendait responsables. Certains thérapeutes ont même soupçonné qu'il y avait inceste à la maison pour qu'elle en vienne à se mettre dans des états pareils. C'en était trop! Mais moi seule savais dans quel abîme elle pouvait sombrer lorsqu'elle sentait qu'elle ne serait pas seule, comme si elle voulait vérifier jusqu'où irait mon attachement pour elle.

Portée par Dieu, parce qu'humainement parlant, ça n'aurait pas été possible, je suis restée à ses côtés pendant ces horribles hospitalisations. Je l'ai aimée, pendant qu'elle était enfermée, ligotée, droguée avec tous les médicaments que les «spécialistes» lui faisaient ingurgiter pour arriver au dosage dit «optimal». J'ai continué à l'aimer pendant ses états végétatifs, la ramenant à la vie en lui chantant les berceuses qu'elle aimait lorsqu'elle était petite, tant et si bien que lorsque les infirmières ne savaient plus quoi faire, elles m'appelaient à la rescousse.

Puis, chaque fois qu'elle progressait, je passais instinctivement à une autre étape pour la sortir de la crise.

Après ses 16 ans, les crises s'espacèrent, mais la dernière en date, à l'âge de 18 ans, fut certainement la plus pénible. Au cours de cette hospitalisation, Julie était tombée amoureuse d'un garçon du même âge qu'elle, atteint de schizophrénie. J'ai tout fait pour la décourager mais en vain. Je ne l'avais encore jamais vue dans un état aussi confus, proche du coma. J'ai fini par accepter que peut-être Julie ne s'en sortirait jamais comme je le voulais. J'ai compris que cet état de confusion la maintenait dans l'incapacité de choisir entre sa mère et son nouvel amour.

Entre temps, sans savoir vraiment pourquoi nous prenions cette décision, Jacques et moi, nous nous inscrivons aux Alcooliques anonymes pour en finir avec notre problème d'alcoolisme. Et à travers ce mouvement, je me suis lancée dans d'autres activités, autorisant Julie à se détacher de moi.

Lorsque je vois maintenant Julie vivre un amour de petite femme, après huit ans de lutte contre une terrible maladie, qu'elle peut enfin gérer et accepter grâce à ce garçon qu'elle aime et qu'elle aide à garder ses pieds sur terre, Dieu que je suis heureuse! mais pourtant pourquoi ai-je si mal?

Et Jacques et Claude dans tout cela?

Claude s'est raccroché à son père et à ses succès sportifs. Il revendique encore mon attention dont il a manqué. En tout cas, lui, on ne se fait pas dire que je l'ai surprotégé!... et ça lui a permis de développer un comportement combatif. Je pense que ce qui les a le plus blessés lui et Jacques, c'est de n'avoir pas su me consoler... D'après eux, je n'aurais pas dû souffrir autant parce que j'avais leur amour. Si l'amour a aujourd'hui triomphé sur bien des fronts, c'est vrai qu'il n'a pas suffi!

L'éloignement de Julie, les thérapies, les médicaments même m'ont permis de prendre du recul, du répit et de vivre des choses pour moi-même. Mais ce qui est vrai aussi, c'est que si nous avions écouté à la lettre certains médecins, Julie serait aujourd'hui en institution définitivement au lieu de pouvoir reprendre des cours à vingt ans et d'être, selon moi, autonome à 80%.

Maintenant, lorsque je la vois rayonnante, je sais qu'elle a compris que l'amour peut parfois triompher de la mort lorsque la maladie est une blessure de l'âme.

Nos relations ont changé. Julie m'absorbe beaucoup moins. Jacques a pu reprendre la première place qui lui revenait.

Nous avons fêté cette année trente années de mariage, à la fois étonnés et émus d'être encore ensemble et enfin heureux! Plus je regarde vieillir Jacques, plus je le trouve courageux.

J'ai longtemps pensé que si nous étions restés ensemble, c'était pour les enfants... je me trompais, ce n'était pas pour eux, mais grâce à eux.

Nous avons été beaucoup plus aimés par nos deux enfants adoptifs que par nos propres familles et maintenant que Claude se détache de nous, j'ai pu lui dire: «Si tu veux retourner dans ton pays, vas-y, le meilleur de ce qu'une maman attend de ses enfants, je l'ai eu de vous deux. Tu me l'as appris. Tu ne me dois rien, ce n'est pas toi qui as voulu venir vers nous.»

L'important pour Jacques et moi, c'est qu'à l'âge adulte, ils soient sûrs de pouvoir nous trouver s'ils ont besoin de nous. C'est d'autant plus vrai pour Julie et son fiancé qui ont absolument besoin de savoir que nous sommes disponibles, bien qu'à l'arrière-plan. Ce n'est qu'à cette condition qu'un avenir est possible pour eux.

Et alors, Lucette, peux-tu nous dire où tu es allée chercher toutes ces forces?

En Dieu, bien sûr, car je sais que son Esprit d'amour et de tendresse ne nous a jamais abandonnés. En réalité, je me suis toujours laissée conduire par cette Main qui me poussait dans le dos.

Affligée d'une très mauvaise santé, moi aussi, j'ai été obligée de prendre du repos et d'essayer de voir clair. Notre médecin de famille a toujours été très présent pour chacun de nous.

Et puis… paradoxalement, mon enfance et mon adolescence, vécues dans un bordel que tenaient mes parents, m'ont appris à supporter la souffrance d'avoir l'impression de n'être l'enfant de personne.

Heureusement cependant, quelqu'un a compté pour moi dans cette vie: mon parrain qui avait en moi une confiance totale. Tous les jours que j'allais à l'école, je passais lui dire bonjour. Un peu avant de rentrer à l'hôpital pour y mourir, il m'a dit: «Va ton chemin, ma chérie, maintenant tu vas devoir faire ça toute seule, mais j'ai confiance en toi.» J'avais neuf ans et demi! Et aussi longtemps que je m'en souvienne, ma confiance a toujours été plus forte que ma peur. Sans modèles parentaux, je suivais ce qui au fond de moi me semblait être bon. Sans doute ai-je surprotégé Julie, mais c'était plus fort que moi.

J'ai l'impression de m'être éduquée moi-même en soutenant Julie comme j'aurais voulu l'être. J'ai souffert mon adolescence avec la sienne. La Lucette de maintenant n'a plus rien à voir avec la Lucette adolescente.

As-tu eu d'autres soutiens dans ta vie d'adulte?

Il me vient à l'idée que l'alcool nous a aidés, Jacques et moi, à endurer toutes ces souffrances jusqu'au moment où, il y a un an, nous avons décidé de liquider ce «soutien» dont nous n'avions plus besoin.

Mais, avant tout, Dieu a toujours mis sur mon chemin des personnes capables de m'écouter sans me juger. Je pense par exemple à «ma petite bourgeoise perle fine» comme je l'appelle.

La première année de la maladie de Julie, j'avais lâché toutes mes activités pour me consacrer uniquement à mon enfant. J'étais d'ailleurs épuisée physiquement et je me sentais sombrer. Quelqu'un m'a écoutée et m'a demandé de faire partie d'une chorale. J'avais une peur panique de me mêler à d'autres, mais j'ai accepté et ce fut le début d'une longue amitié. Même Jacques s'y est joint peu après. Puis, lorsque cette amie a déménagé, elle nous a demandé de prendre sa place et celle de son mari dans une équipe de spiritualité pour couples. Je le désirais du fond de mon cœur mais j'étais persuadée que Jacques refuserait — nos relations, à ce moment, étaient plutôt mauvaises. Mais Jacques accepta, se sentant valorisé d'occuper la place d'un couple pour lequel il avait beaucoup d'estime.

Ce n'est qu'un exemple. Vous en êtes un autre, vous m'avez écoutée lorsque j'en ai eu besoin et surtout maintenant en me permettant de raconter tout ce parcours de notre famille. Vous rendez concret mon rêve le plus cher: écrire pour que tout ce cheminement et cette victoire de l'amour puissent servir à d'autres. S'il faut suivre son instinct, il faut aussi accepter les aides extérieures que Dieu place sur notre chemin, il ne faut pas se refermer et vivre cela seule, c'est trop dur!

C'est étrange, mais tout ce que j'ai reçu de bon m'est venu de personnes étrangères à ma propre famille; leur regard enlevait l'étiquette «bordel» collée sur mon front. Je pouvais enfin naître à moi-même parce que j'étais «adoptée» telle que j'étais.

C'est le jour où j'ai reçu Julie dans mes bras que j'ai su qui j'étais car je devenais enfin unique pour quelqu'un. Mais j'étais loin de m'imaginer que ce chemin serait aussi douloureux avant d'arriver à la paix profonde.

★

★ ★

Ce texte nous l'avons restructuré à partir de ce que Lucette nous a spontanément livré de son expérience et nous avons pris soin de conserver le plus possible ses propres mots. Cette synthèse lui a fait prendre conscience de la souffrance qu'elle vit encore et n'arrivait pas à nommer: celle d'accoucher d'une fille de vingt ans et de rompre le «cordon ombilical» qu'elle a mis tant d'années et d'amour à créer.

Trois semaines après cette rencontre, Lucette nous donnait des nouvelles par téléphone. Jacques et elle venaient de participer à la réunion d'une association de parents et du personnel de l'hôpital où Julie fut si souvent hospitalisée. Tout en reconnaissant la nécessité de l'hospitalisation, elle put exprimer devant tous ce qu'elle a enduré et son incapacité à accepter que cela était pour le bien de Julie.

Cette nouvelle occasion de rendre public ce qu'elle et Jacques avaient dû souvent tenir caché lui donne une force nouvelle pour couper ce fameux cordon... Lucette n'est pas prête à s'arrêter en si bon chemin et nous pouvons affirmer qu'elle ne manque pas de projets.

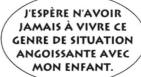

J'ESPÈRE N'AVOIR JAMAIS À VIVRE CE GENRE DE SITUATION ANGOISSANTE AVEC MON ENFANT.

DANS LES MOMENTS DIFFICILES AVEC LES ENFANTS, JE ME DÉCOUVRE DES FORCES ET DES ÉNERGIES QUE JE NE CROYAIS PAS AVOIR.

L'ENFANT
QUI NE MANGE PLUS

Isidore Néron
travailleur social
Hôtel-Dieu du Sacré-Cœur, Québec

«Viens souper Chantale!... — «J'ai pas faim maman!»
Ainsi débute, ce soir du 15 février, une situation de
crise qui prendra plusieurs mois à se dénouer; une
situation qui coûtera plusieurs heures d'insomnies à
papa et à maman et qui invitera les trois membres
de cette famille à grandir à travers un méandre
de questionnements et de décisions que chacun aura
à prendre.

«Ainsi débute...» En réalité, cette situation n'a
pas débuté ce soir-là précisément. Mais c'est ce jour-
là que, Claude et Hélène, le père et la mère, furent

instinctivement et soudainement forcés de se poser la question: «Notre fille est-elle anorexique?» Ce soir-là, il y eut un déclic dans l'esprit des deux parents; Hélène a vu défiler dans ses souvenirs les nombreux matins où Chantale a quitté la maison sans déjeuner pour se rendre à l'école avec un seul fruit comme dîner. Claude s'est souvenu d'avoir reçu au cours des deux derniers mois quelques téléphones de la direction de la Polyvalente annonçant que Chantale ne se sentait pas bien, qu'elle s'était rendue au bureau de l'infirmière et que cette dernière l'avait gardée couchée pour le reste de l'avant-midi. Puis Claude et Hélène se rendirent soudain compte que depuis quelques mois, Chantale ne voulait plus visiter la famille. Peut-être a-t-elle peur qu'on lui serve à manger, elle qui ne veut plus manger, se demandèrent les deux parents. Elle qui ne veut plus manger? Claude et Hélène frissonnèrent de s'entendre dire ces mots-là. «Se peut-il que notre fille en soit rendue là? Jusqu'où peut-elle aller dans cette situation? Peut-elle se faire mourir?» C'est trop de questions, se dit Claude. «Nous dramatisons, Hélène. Laissons retomber la poussière. Notre fille n'est pas anorexique.» Mais Hélène retrace le fil de leur courte histoire familiale et elle fait ce soir, un peu malgré elle, un lien entre un très grand nombre de situations où elle a dû discuter avec Chantale à propos de l'alimentation.

Chantale a 15 ans; elle est fille unique. Elle est de taille et de poids normal. Son père, Claude, a des horaires de travail variés: de jour, de nuit et de fin de semaine. Sa mère, Hélène, travaille depuis quelques mois à temps partiel: une vingtaine d'heures par semaine, surtout le jeudi soir, vendredi soir et samedi.

Claude ne s'est pas beaucoup occupé de Chantale. Il n'y avait qu'un seul enfant à la maison et Hélène, étant toujours à la maison, avait tout son temps à consacrer à Chantale. Disons aussi que, très tôt après la naissance de Chantale, Claude et Hélène n'avaient pas le même point de vue pour l'éducation de leur fille. Si Chantale était fiévreuse, Hélène s'empressait d'aller consulter à l'Urgence de l'hôpital à n'importe quelle heure du jour ou de la nuit alors que Claude était convaincu qu'il s'agissait de maux bénins d'enfants et qu'il ne fallait pas en faire un drame. C'était à peu près la même situation avec les vêtements. Claude jugeait qu'Hélène se laissait manipuler par sa fille tellement, à ses yeux, Chantale était capricieuse et exigeante pour ses vêtements. Il s'était finalement développé comme une sorte de complicité entre Hélène et Chantale. Une complicité instrumentale: les deux allaient magasiner ensemble, ou encore Hélène refusait à Claude une sortie sociale si Chantale n'avait pas le goût d'y aller. Une complicité émotionnelle aussi: comme Claude prenait régulièrement de l'alcool en revenant de son travail, il n'était pas rare que Chantale et Hélène se retirent ensemble pour partager leur douleur. Ce type de comportement de Claude n'était pas accepté par Hélène, et Chantale voulait soutenir sa mère dans cette épreuve. Cette complicité était vivement dénoncée par Claude qui s'enrageait contre elles. Mais cette réaction renforçait encore plus leur complicité.

Puis Claude et Hélène ont essayé de trouver des réponses à leurs questions: «Se peut-il que notre fille soit anorexique?» Ils ont lu tout ce qu'ils pouvaient trouver sur le sujet. Ils ont écouté attentivement la télévision lorsqu'il en était question. Un peu en cachette de Chantale, ils ont posé des questions à leurs parents, à leurs amis. Mais leurs questions restaient toujours sans réponse. Et puis un autre téléphone de l'école: l'infirmière les informait que Chantale n'allait pas bien et qu'elle avait dû la laisser se reposer tout l'avant-midi. Hélène et Claude se rendaient compte que Chantale maigrissait à vue d'œil, qu'elle avait le visage pâle, qu'elle ne voulait plus voir ses amis en invoquant toutes sortes de prétextes, qu'elle se retirait fréquemment dans sa chambre. Hélène apprend ensuite que Chantale n'est plus menstruée depuis deux mois. Après quelques hésitations et quelques disputes, Claude et Hélène se sont finalement mis d'accord pour consulter le Centre de psychiatrie juvénile de leur région.

Chantale a d'abord rencontré l'infirmière du Centre puis le psychiatre pour enfants et adolescents (pédo-psychiatre). On a conclu qu'elle avait à tout le moins des problèmes alimentaires. Chantale était alors au seuil du poids critique, c'est-à-dire que compte tenu de sa taille, de son âge et de son ossature, si elle devait maigrir encore d'ici une prochaine rencontre, elle devrait être hospitalisée parce qu'elle mettait sa santé et même sa vie en danger.

Mais Chantale ne voulait absolument pas être hospitalisée. Pendant plusieurs semaines, elle est parvenue à se maintenir à ce seuil critique quant à son poids. À l'école, ses notes diminuaient; elle avait absolument besoin de consulter régulièrement l'infirmière de sa classe pour des étourdissements et des symptômes divers. À la maison, il y avait beaucoup de disputes autour des repas et de l'alimentation.

Entre temps, Hélène et Claude avaient accepté la suggestion du pédo-psychiatre de rencontrer un travailleur social; ce professionnel fait partie de l'équipe multidisciplinaire et il a pour fonction d'accompagner les parents qui ont un enfant en difficulté. Pour tout dire, Claude était très réticent quant à cette consultation avec un travailleur social. Il craignait d'être

193

blâmé même s'il sentait qu'il n'avait rien à se reprocher dans cette situation. Il savait que, dans notre société, les parents sont montrés du doigt dès que quelque chose ne va pas avec un enfant. Il ne voulait pas se faire semoncer par un travailleur social qui lui laisserait entendre que sa fille en était rendue là à cause de lui. Il avait l'impression qu'il ne serait pas capable de le prendre et que pareille attitude le démolirait encore davantage.

Claude est allé aux premières rencontres juste pour entrouvrir la porte, pour voir comment était ce professionnel. Quant à Hélène, se sentant déjà coupable de l'état de sa fille, elle se disait que personne ne pouvait la faire se sentir plus mal qu'en ce moment-là. Elle n'était cependant pas réticente à cette consultation.

Progressivement, les parents et le travailleur social se sont apprivoisés. Puis, Claude et Hélène se sont sentis de plus en plus en confiance. Suffisamment en tout cas pour commencer à parler de ce qui les préoccupait d'abord et avant tout: «Que faut-il faire pour que notre fille recommence à manger au moins pour survivre?» Mais la question n'était pas facile et les parents allaient se méfier d'une réponse mécanique et insignifiante. Claude et Hélène, depuis des semaines, n'avaient cessé d'imaginer toutes sortes de moyens et de manœuvres, les unes subtiles, les autres moins, pour que leur fille en vienne à se nourrir normalement, c'est-à-dire sans faire d'histoire. Ce fut en vain; Chantale les contournait à chaque fois. C'était de plus en plus décevant pour eux.

Au fil des rencontres, les parents en sont cependant venus à se demander si justement ils n'en faisaient pas trop pour que leur fille s'alimente adéquatement. En effet, il n'était pas rare qu'on cuisine deux menus pour donner une chance de plus à Chantale. Il n'était pas rare non plus qu'Hélène fasse faire à Chantale, quelques heures avant le repas, le choix du menu. Pourtant il arrivait fréquemment que Chantale, au moment de se mettre à la table, déclare ne pas avoir faim, demandant qu'on conserve le repas qu'elle avait elle-même choisi et se retire dans sa chambre. Claude et Hélène n'avaient plus faim eux non plus tellement la déception et le désespoir les envahissaient. Finalement, après plusieurs discussions, orageuses quelquefois, Hélène et Claude ont décidé d'arrêter d'insister autant sur l'alimentation. À dire vrai, Hélène était très hésitante à accepter pareille attitude. Elle avait l'impression vague que la situation allait encore se détériorer. Il ne fallait pas que ça devienne pire sinon c'était la vie de sa fille qui était en danger.

Claude et Hélène, avec le soutien du travailleur social, s'étaient donné plusieurs balises pour juger de l'urgence de la situation. Aussi, un certain soir, les deux parents se sont assis avec leur fille et lui ont annoncé: «Nous allons cesser de prêter autant d'attention à ton alimentation.» D'ici quelques mois tu auras 16 ans et nous te croyons capable de savoir ce qui est bon pour toi et ce qui ne l'est pas. Nous allons cesser de décider à ta place. À partir d'aujourd'hui, ça devient ta responsabilité et non la nôtre. Nous voulons cependant que tu saches quelle sera notre responsabilité. Nous prendrons les mesures d'urgence nécessaires lorsque nous croirons que nous en serons rendus là. En mots clairs, dès que nous, comme parents, jugerons que ta situation physique et mentale nécessitera une intervention, nous t'amènerons à l'hôpital où tu es traitée présentement pour y recevoir les services suggérés, y compris l'hospitalisation si nécessaire. Et ceci, que tu sois d'accord ou pas.»

Claude et Hélène étaient inquiets après cette intervention. Chantale d'ailleurs n'avait fait aucun commentaire. Ils se demandaient s'ils n'étaient pas trop sévères, si Chantale ne se sentirait pas écrasée par ses deux parents après pareille intervention. Jusqu'à ce moment, c'était presque toujours Hélène seule qui intervenait auprès de sa fille. Claude ne se sentait pas très habile pour lui parler. De plus, Hélène trouvait qu'elle était plus près de sa fille et que c'était plus facile pour elle de faire ces interventions. Mais voici que cette fois Hélène était accompagnée de Claude pour intervenir. Plus encore, Hélène était, cette fois, du côté de son mari, au lieu de penser qu'il avait tendance à faire l'éducation de Chantale avec des principes à l'ancienne mode. Les prochaines semaines allaient leur donner des indices sur la manière dont Chantale avait profité de cette intervention.

Mais les semaines n'ont pas apporté aux parents les évidences qu'ils attendaient. Chantale ne s'alimentait pas mieux; elle ne s'alimentait pas plus mal non plus. Hélène était souvent préoccupée et surveillait du coin de l'œil pour voir ce que mangeait Chantale aux repas; les parents s'efforçaient quand même de mettre en pratique ce qu'ils avaient annoncé à leur fille auparavant. Certains jours, Hélène n'en pouvait plus: il fallait qu'elle intervienne et insiste pour que Chantale mange. Mais Hélène se reprenait le lendemain et les jours qui suivaient.

Chantale n'a pas changé d'attitude pendant quelques mois. Elle rencontrait régulièrement le pédo-psychiatre. Claude et Hélène visitaient régulièrement le travailleur social. Il était beaucoup question du partage de l'autorité entre les deux parents; de la place qu'occupe Chantale auprès de sa mère. En fait, Hélène ne vivait que pour Chantale. Puis Hélène et Claude ne se retrouvaient plus beaucoup comme couple. Ce fut une période assez difficile pour les

deux parents. Ils se sont demandés s'ils continueraient de vivre ensemble ou s'ils se sépareraient. Ils
ont décidé de poursuivre la route ensemble; mais tout
n'était pas réglé pour autant, loin de là! Claude et
Hélène en sont même venus à penser que plus ils
vivaient explicitement leurs tensions, plus l'anorexie
de Chantale était repoussée à un second plan. C'était
curieux comme situation: on aurait dit que plus
l'anorexie de Chantale perdait de son importance,
plus la situation du couple était difficile. Et puis
Claude et Hélène se sont demandés si l'anorexie de
leur fille n'exprimait pas les nombreuses divergences
des deux parents, l'éloignement que l'un et l'autre
vivait comme conjoint. Les parents continuaient de
rencontrer le travailleur social pour poursuivre leur
questionnement sur leur vie conjugale et aussi pour
prendre certaines décisions quant à leur engagement
futur.

Chantale devint de plus en plus inquiétante,
invitant alors les parents à mettre à exécution ce qu'ils
lui avaient annoncé quelques mois plus tôt. Les deux
parents se sont consultés, se sont disputés quelque
peu et ont finalement décidé qu'il était temps de se
rendre à l'Urgence de l'hôpital où Chantale était traitée. C'était un vendredi soir du début de novembre.
Chantale a tenté de s'opposer verbalement à ses parents
en faisant valoir, entre autres, que ça ne regardait

qu'elle, puisque c'était son corps. Ceci n'a pas modifié la décision des deux parents.

Le psychiatre qui l'a évaluée a conclu qu'elle était dans un état critique et qu'il fallait l'hospitaliser. Les deux parents ont acquiescé à cette recommandation. Chantale a hurlé son désarroi parce qu'elle ne voulait absolument pas être hospitalisée. Elle a accusé ses parents d'être sans-cœur, de l'abandonner, de ne pas l'aimer, etc... Les parents ont maintenu leur décision même si c'était très pénible. Elle s'en est pris à sa mère en l'accusant de trahison à son égard. Rien n'y fit. Pour une seconde fois, les deux parents furent du même avis et furent solidaires de la décision prise quelques mois plus tôt. Chantale a été hospitalisée pendant quatre semaines. Elle a d'ailleurs bien collaboré durant ce temps.

Puis le 8 décembre, Chantale reçut son congé de l'hôpital. Elle ne voulait presque plus en sortir tellement elle en avait fait son oasis de sécurité. L'idée de revenir dans la société lui faisait peur. Elle aurait aimé rester au nid encore plus longtemps. Peut-être même ne plus le quitter. L'équipe en était avertie et s'est comportée en conséquence avec une grande fermeté.

Mais on avait tout de même accepté que sa sortie pourrait se faire de façon progressive. On offrit à Chantale la possibilité de retourner à l'école le jour et de revenir coucher à l'hôpital le soir pour lui éviter d'avoir à se réadapter en même temps à son école, à ses amis et à ses parents. Chantale ne voulait pas recommencer l'école avant Noël. Pour des raisons assez confuses, elle ne voulait recommencer qu'après le long congé des Fêtes. Puisqu'elle ne voulait pas reprendre ses cours immédiatement, l'équipe traitante l'invita à quitter l'hôpital et à aller vivre avec ses parents puisqu'elle n'avait plus à s'adapter à l'école en même temps. Mais Chantale refusait encore.

Les deux parents se sont rendus rencontrer le travailleur social entre temps. Ils en ont profité pour discuter de cette situation embarrassante. Et finalement, ils ont décidé que le lendemain matin, ils sortiraient leur fille de l'hôpital, iraient rencontrer la direction de l'école de Chantale et prendraient les ententes nécessaires pour que son retour en classe soit progressif; ils avaient également décidé que Chantale reprendrait ses cours dès que la direction se dirait prête à l'accueillir à nouveau. Et ceci devait se passer même si Chantale ne voulait pas se rendre à l'école. C'est ce qu'ont fait les parents. L'entrée à l'école a été fixée au lendemain.

Chantale continuait de refuser de reprendre ses cours. Hélène et Claude ont prévenu leur fille qu'ils prendraient tous les moyens pour qu'elle soit à l'école le lendemain. Les parents avaient effectivement discuté de ces moyens avec leur travailleur social quelques jours auparavant et ils avaient une bonne idée de ce qu'ils feraient si Chantale refusaient de prendre l'autobus scolaire.

Cela n'a pas été nécessaire. Sans faire de crise, sans s'opposer comme l'auraient craint les parents, Chantale s'est levée tôt le matin, a déjeuné et est partie pour l'école sans faire plus d'histoire. Hélène et Claude étaient soulagés quoiqu'un peu inquiets. Ils se demandaient si Chantale irait vraiment jusque dans sa classe. Pourtant c'est ce qu'elle a fait et ce qu'elle fait encore présentement.

Cinq mois après cet événement, Chantale ne présente plus de troubles d'alimentation. Claude et Hélène ne se soucient plus du tout de cette dimension dans leur vie familiale. Claude est en train de développer lentement ses liens avec Chantale. Dernièrement, il s'est fait accompagner par Chantale pour faire quelques courses, question de passer un peu de temps ensemble. Il arrive même à Claude de passer quelques minutes dans la chambre de Chantale, allongé simplement sur son lit à «placoter» de choses et d'autres avec elle. Il y a un an, ceci aurait été tout à fait impensable. Lui et Chantale essayaient de s'éviter le plus possible. Il y a quelques jours, Claude s'est adressé lui-même à Chantale pour qu'elle fasse le ménage de sa chambre. Auparavant, Claude parlait à Hélène qui était toujours l'intermédiaire entre lui et

201

Chantale. Aujourd'hui, Claude développe lentement sa compétence pour intervenir lui-même auprès de sa fille.

Tout n'est pas réglé dans cette famille. Hélène trouve encore difficile que Claude consomme régulièrement des boissons alcooliques. Claude est très insatisfait de la fréquence de ses rapports sexuels avec Hélène. Les parents ont encore des différends à régler entre eux. Sauf que ce n'est plus pareil. Et c'est Hélène qui résume bien la différence en disant: «J'ai réalisé que ce n'était pas bon pour ma fille de savoir tout ce qui ne va pas bien entre moi et Claude. Ce n'est pas à elle de me réconforter. Chantale n'est pas mon conjoint; elle n'a pas à être mêlée à ça.»

Commentaires

Les troubles alimentaires sont toujours des situations très difficiles et pénibles à vivre pour des parents. Et c'est compréhensible: c'est une situation qui fait miroiter devant nous la vie et la mort de ceux et celles à qui l'on tient tellement. Claude et Hélène ont pensé secrètement que leur fille mettait sa vie en danger, donc, qu'elle pourrait mourir. Et cette issue fatale laisse les parents complètement abasourdis. Ce n'est pas qu'ils sont mauvais ou dépourvus de capacités. Leurs ressources personnelles deviennent subitement inutilisables parce qu'ils sont trop inquiets et boule-versés en imaginant leur fille unique morte.

Claude et Hélène ont utilisé des ressources ex-térieures pour venir compléter les leurs. Ils ont consulté un psychiatre; ils ont consulté un travailleur social, ils ont lu, etc. Claude et Hélène ont fini par maîtriser la situation en se faisant épauler à divers niveaux de leur vie familiale. Chantale fut évaluée et suivie en rencontres individuelles. Les deux parents ont fait de même pour analyser la manière dont ils s'étaient comportés avec leur fille. Puis il y a eu l'hospitalisation qui a pu servir, entre autres, de lieu neutre pour observer les agirs et les réactions de Chantale.

Vous l'aurez remarqué: il n'y a pas qu'une seule solution lorsque l'on vit des situations familiales d'une telle complexité. Dans cette situation-ci, il y a eu bien sûr la consultation individuelle, la consultation paren-tale et l'hospitalisation. Claude et Hélène ont aussi pris solidairement des positions claires et fermes face à Chantale particulièrement au sujet de l'école et de l'alimentation. Claude a honnêtement essayé de se rapprocher de sa fille. Hélène a «libéré» sa fille de ses problèmes conjugaux. C'est la conjugaison de chacune de ces démarches qui fait qu'il n'y a plus d'anorexie présentement dans cette famille. Et, d'un point de vue professionnel, nous sommes incapables de dire avec certitude aujourd'hui s'il y a une de ces solutions qui a été plus bénéfique que les autres.

Ajoutons un dernier commentaire: il faut noter le travail tenace et constant de Claude et d'Hélène dans cette situation. Les deux parents, à la suite des suggestions du consultant, ont mis en application des manières de se comporter avec Chantale qui ne leur étaient pas familières et qui les rendaient très inquiets. Il a fallu beaucoup de courage et de ténacité de leur part pour les gestes qu'ils ont posés. Lors de l'hospitalisation par exemple, Hélène a failli changer d'idée et ramener Chantale à la maison après avoir subi les blâmes et les supplications «solennelles». C'est une réaction tout à fait humaine de se demander si l'on agit vraiment pour le mieux avec son enfant dans pareille situation. Sauf qu'évidemment, Chantale avait besoin, pour sa propre croissance, que ses parents soient cohérents avec ce qu'ils lui avaient annoncé quelques mois auparavant. Si Claude et Hélène avaient cédé, Chantale aurait commencé à penser qu'il y a toujours moyen de faire changer les décisions de ses parents. Indirectement, ils l'auraient encouragée à faire toutes sortes de manœuvres à chaque fois qu'elle aurait été en désaccord avec une de leurs décisions.

Il a fallu beaucoup de courage à Hélène pour en venir à se rendre compte que Chantale occupait

204

auprès d'elle pour ainsi dire la place d'un conjoint. Il a fallu du courage à Claude pour se rendre compte qu'il n'était pas à l'aise avec sa fille et qu'il devait poser des gestes de rapprochement; pour aborder le problème de sa consommation d'alcool et de son insatisfaction sexuelle avec sa femme. Il est toujours surprenant de constater jusqu'où les parents peuvent faire preuve de courage et de détermination lorsqu'il s'agit de leur enfant. Les parents ont des ressources quasi inépuisables et ils savent, tout comme Hélène et Claude, que pour venir en aide à leur enfant ils ont souvent besoin d'expérimenter plusieurs solutions sans en constater immédiatement les résultats.

MA PETITE SŒUR, DEPUIS QUE JE SUIS PÈRE MOI-MÊME, J'AI CESSÉ DE FAIRE LE PROCÈS DE NOS PARENTS.

EH BIEN! MOI, JE NE SUIS PAS ENCORE PARENT! ET J'AI LE DROIT DE PARLER, BON!

VINCENT ET SES FILS

Jocelyne Nadeau
intervenante psychosociale
L'Équipe Pro-Sys inc., Sainte-Foy

Quand je rencontrai Vincent pour la première fois, ce qui me surprit le plus c'était son attitude. Sa voix était tellement faible que j'avais de la difficulté à l'entendre et il regardait toujours par terre. Il commença à parler de ses fils. Il les aimait beaucoup, mais il ne savait plus quoi faire avec eux. Il s'était séparé de leur mère huit mois auparavant et avait la garde de ses fils une fin de semaine sur deux.

Au moment de la séparation, il trouvait cet arrangement très satisfaisant, mais maintenant il se rendait compte qu'il ne savait pas comment agir avec ses enfants et qu'il serait mieux d'aller les visiter chez leur mère au lieu de les prendre chez lui. Il voulait d'abord savoir s'il devait accepter cette solution et ensuite, comment il devrait agir chez son ex-conjointe ou comment il devrait faire pour recevoir ses fils sans problème.

Il m'avoua qu'il avait une amie depuis deux mois, mais que cette dernière n'avait jamais rencontré ses fils et qu'elle ne venait pas à l'appartement lorsqu'il les recevait car ses parents trouvaient que ça pourrait perturber les enfants.

La mère des garçons était très coopérative, comme disait Vincent. Quand elle venait conduire les enfants, elle prenait le temps de lui donner, par écrit, toutes les directives pour la fin de semaine: l'heure où ils devaient manger, se laver, se coucher; ce qu'il devait faire au moment du coucher, comment les amuser… et ce à chaque fois. Elle laissait aussi un numéro de téléphone pour la rejoindre en tout temps.

Je demandai à Vincent si d'autres personnes l'aidaient à s'occuper de ses fils. Il me dit qu'il avait beaucoup de soutien. Une de ses sœurs lui préparait et lui apportait des repas afin qu'il n'ait pas à cuisiner et qu'il ait plus de temps pour s'occuper des garçons. Souvent sa mère ou une autre de ses sœurs venaient le soir au moment de les coucher.

Il trouvait que tout le monde l'aidait, mais que malgré tout ça il ne pouvait pas bien s'occuper de ses garçons. Ils étaient turbulents, ils dérangeaient les locataires de l'immeuble. Quand il vivait avec son épouse, elle ne le laissait jamais seul avec les enfants car elle savait qu'il ne saurait pas les discipliner et que les enfants lui monteraient sur la tête. Quand je lui demandai s'il était d'accord avec cela, il me dit oui car il ne savait pas quoi faire pour être écouté. Il pouvait être un grand frère, un ami mais tout le monde était d'accord pour dire qu'il était incapable de jouer le rôle de père.

À la rencontre suivante Vincent est venu avec ses fils, Maxime avait 7 ans, Louis 5 ans et Alexandre 4 ans. Les trois garçons parlaient en même temps et comme ils revenaient d'un cours de judo, ils avaient décidé de continuer à pratiquer dans le bureau. Vincent me demanda si je pouvais les calmer. Depuis le début de l'entrevue, je me disais que s'ils étaient mes enfants, je les ferais asseoir. Mais en agissant de la sorte je ne ferais, comme tout le monde, que renforcer sa conviction qu'il ne pouvait remplir son rôle parental. Au lieu de lui dire comment agir, je l'ai interrogé sur ce qu'il connaissait de ses garçons et, en parlant, il m'a dit ce qu'il pouvait faire avec eux. Il a décidé de suivre des cours de cuisine pour améliorer ses connaissances et a ensuite trouvé des façons de rassurer son ex-conjointe et sa famille d'origine.

À la dernière rencontre Vincent s'est présenté, sûr de lui, avec ses garçons. Ceux-ci ne parlaient plus, comme à la première rencontre, de ce que leur mère leur avait dit de faire mais ils racontaient les activités, les jeux qu'ils faisaient chez leur père. Vincent précisa qu'il avait décidé d'aller chercher les garçons au domicile de leur mère sans demander le mode d'emploi.

NUITS APPRIVOISÉES

Suzanne Laliberté
travailleuse sociale
CLSC Limoilou, Québec

> Apporter de l'aide aux gens sans leur donner
> en temps l'occasion de jouer un rôle actif...
> cela revient non pas à donner mais en réalité
> à prendre, à prendre leur dignité.
>
> S. ALINSKY

10 novembre 1992 — Il est deux heures du matin. Depuis quelques heures, Mireille n'a donné aucun signe de vie, aucun téléphone. La nuit me paraît interminable. Jean-Louis, son père, s'endort avec le cœur plein de colère. Moi, sa mère, je suis incapable de cerner le sentiment qui m'habite.

Toute la soirée, Jean-Louis et moi avons arpenté les rues du quartier. Nous avons rejoint tous les amis que nous lui connaissons. Personne ne sait où elle se trouve. Elle a quitté la maison depuis seize heures!... Où est-elle? Que fait-elle? Avec qui est-elle?

J'ai froid! ... Il commence à neiger. J'aimerais que cette blancheur et ce calme m'apaisent. Au contraire, je suis affolée! Elle a peut-être froid elle aussi. Elle est partie sans foulard, ni chapeau. Je lui avais promis de lui acheter des bottes d'hiver la semaine dernière ... j'ai dû payer la réparation de la laveuse.

Je suis si triste, si désemparée. Chaque seconde, chaque minute qui passe s'ajoutent au cumul des heures pleines d'un silence intenable. J'ai le goût de crier et pleurer à fendre l'âme. Non, je ne peux me permettre cette déchirante expression! La promiscuité me retient. C'est vrai, Laurie, notre aînée, doit passer un important examen de biologie demain. Elle doit se lever très tôt pour aller au cégep. Je dois garder le silence. Quelques bribes de lucidité reviennent à la surface, je reprends occasionnellement contact avec la réalité.

Pourquoi ce départ? Pourquoi cette fugue? Si je pouvais m'endormir sur cette question. J'ai peur de mes réponses. Un sentiment de panique m'envahit à mesure que le temps passe. Et ce silence sans fin! J'ai si peur, Mireille n'a que quatorze ans!... Notre bébé a déjà quatorze ans!... Trouve-t-elle la vie si dure avec nous?

On entend souvent dire qu'il est important que les parents comprennent leurs enfants. Présentement, je crains que ce soit Mireille qui ne comprenne pas ses parents.

Comment comprendre qu'elle ne peut jamais amener d'amis à la maison? Comment comprendre qu'elle est tenue de partager une chambrette avec sa sœur aînée? Elle sait très bien qu'il n'est absolument pas possible de revendiquer une chambre pour elle seule. Car elle sait que ses parents dorment sur le divan du salon depuis quinze ans. Que répond-elle à ses amis qui s'invitent?

Comment peut-elle comprendre que je passe de nombreuses soirées à jongler avec des chiffres d'un budget de 200 $ par semaine? Je passe des heures et des heures à tout décortiquer, à déplacer, à retarder un paiement par rapport à un autre. Ressent-elle toute l'insécurité et l'angoisse qui me grugent?

D'un mois à l'autre, elle vit avec l'espoir de porter un «jean» neuf. Le «jean» et tout autre vêtement, tant pour elle que pour le reste de la famille, sont dénichés dans un des vestiaires du quartier. Je la sens déçue, triste et elle ne se permet pas de l'exprimer. Elle sait que, depuis le début de mon mariage, je ne me suis permis l'achat que d'une seule robe, d'un seul manteau et d'une seule paire de bottes. Souvent, depuis qu'elle est toute petite, elle est arrivée de l'école avec des larmes dans les yeux. Elle a fait rire d'elle pour un pantalon un peu court ou une veste démodée. Comment puis-je la consoler? Une promesse serait malhonnête!...

En parlant de promesse, je me souviens du jour où je lui ai appris que je retournais sur le marché du travail.

Ce travail se présente comme une bouée de sauvetage pour toute la famille. Jean-Louis est sans emploi depuis plusieurs mois. C'est la déprime totale. Il a été mis à pied après quatorze ans de service à la même usine. Il cherche autre chose, sans succès.

Mireille s'oppose. Je n'arrive pas à comprendre pourquoi. Pour l'apaiser, je lui fais miroiter l'espoir de jours meilleurs. Espoir qui me motive aussi. Jusqu'à maintenant, mon engagement dans le bénévolat à l'école m'apportait beaucoup de satisfaction, d'assurance et de valorisation. Cette présence régulière à l'école la rassurait peut-être? J'aurais aimé poursuivre aussi. Cependant, nous avons besoin d'argent!...

Jean-Louis trouve à son tour un travail saisonnier; il se blesse peu de temps après. Le nombre de semaines travaillées est inférieur au nombre de semaines exigées pour le rendre admissible aux prestations d'assurance-chômage. Quelques mois plus tard, je perds aussi mon emploi. Où sont les jours meilleurs? «Tu dois avoir le sentiment que je t'ai menti, n'est-ce pas?»

Ses notes baissent de plus en plus, son comportement en classe se détériore. Son professeur me téléphone régulièrement. Elle fréquente des amis qui me plaisent plus ou moins. La communication est de plus en plus difficile. Elle critique tout. Les conflits sont de plus en plus fréquents entre elle et nous, entre elle, Laurie et son frère, Simon.

La recherche d'emplois pour Jean-Louis et moi devient une obsession. Notre situation économique est critique. Nous mangeons difficilement trois repas par jour. Une épicerie de dépannage nous est offerte généreusement par un groupe de travailleurs qui veulent aider des familles. Avec une très grande gêne, j'accepte ce soutien alimentaire nécessaire à notre survie.

À la même période, Simon perd régulièrement l'équilibre. Parfois, je le trouve immobile sur le plancher. Qu'est-ce qui lui arrive?

Tout glisse entre mes doigts. Tout s'effondre. J'ai peur que tout éclate. Un soir, au souper, Mireille et Simon critiquent sévèrement le menu. Ils n'en peuvent plus de manger des nouilles!...

Jean-Louis explose. Il ne parle pas, il crie! Mireille réplique. Il perd le contrôle. Simon défend sa sœur et tente d'adosser son père au mur. J'ai vu la colère, la révolte dans les yeux de Mireille. Cette soirée fait-elle partie de ses souvenirs oubliés ou s'accumule-t-elle à un bagage de déceptions et de frustrations? J'aurais tant aimé être capable de donner raison à sa colère, tout en lui faisant comprendre le geste démesuré de son père. Aurait-elle été capable de saisir tout le stress, la tension et le sentiment d'échec que ce geste traduisait? Elle n'a ni vu, ni entendu le cri d'alarme de son père...

Le soir même, j'ai aussi crié au secours! Je me rappelle maintenant ce «mal» qui ressemblait beaucoup à celui de ce soir. Jean-Louis veut tout balancer, il plie bagage. Je m'oppose, je m'objecte, je hurle, je lui crie mon amour, mon besoin de continuer la route avec lui... il est encore là. Se souvient-elle de cette crise? Part-elle avant que nous partions tous?

«Où te caches-tu Mireille, j'ai si mal!»

Le jour se lève doucement. Je ressens une fatigue indescriptible. La neige a cessé de tomber. Je me permets de formuler un souhait avec la journée qui commence: j'aimerais être «seulement pauvre» et que cette pauvreté m'épargne des problèmes quotidiens. Ce n'est pas très réaliste! La pauvreté cohabite avec plusieurs autres problèmes qui se multiplient à leur tour. La pauvreté fait des «petits». Elle côtoie toujours une multitude de situations désespérantes. La situation que je vis présentement m'oblige à faire face une fois de plus à cette réalité. Une question de Mireille résonne encore dans ma tête: «Pourquoi, nous les jeunes, devons-nous subir la pauvreté des parents? Moi, je ne veux pas être pauvre toute ma vie.» Met-elle déjà à exécution son projet?

Ma journée défile dans ma tête. Laurie se pré-pare déjà à quitter la maison. J'ai rendez-vous chez le cardiologue avec Simon. Il n'est pas nécessaire d'in-former l'école de l'absence de Mireille puisqu'elle est suspendue depuis une semaine. Plus tard, je télépho-nerai à la travailleuse sociale du CLSC.

20 décembre 1992 — Il est deux heures du matin. La neige tombe à plein ciel. Je la vois danser follement au rythme du vent par la fenêtre de la salle de bain. Je me trouve un peu ridicule de me voir là, assise sur le bord de ma baignoire à parler à un magnétophone. Je me sens toute fébrile. Je veux que leur cadeau soit prêt pour Noël. Les cassettes de Simon et de Laurie sont terminées. Il me reste à produire celle de Mireille. Pour Noël, j'ai pensé offrir à mes enfants un témoignage personnel où, pour chacun d'eux, je ra-conte ma grossesse, je leur chante la chanson qu'ils préféraient lorsqu'ils étaient petits et je partage avec eux mes joies, mes peines, mes inquiétudes à chaque étape de leur vie. Les baladeurs «dernier cri», les or-dinateurs, les ensembles de ski garniront d'autres sa-pins de Noël que le nôtre! ...

Une rétrospective d'autant d'années, tant de souvenirs qui défilent!... je découvre, à travers ce retour en arrière, jusqu'à quel point je sais mener ma barque avec une main de maître!...

Je me surprends! Il me semble que tous les éléments seraient suffisants pour déprimer ou sombrer dans l'alcool et la drogue. Sans vouloir les excuser, je comprends parfaitement certains parents qui décrochent et qui s'évadent de cette façon.

Je me reconnais un très grand courage de vivre ma vie un jour à la fois, de prendre les problèmes un à un, de prendre le temps de les regarder et d'y trouver des solutions.

Ma dignité me donne le flair de m'entourer de gens qui partagent et de m'éloigner de ceux qui ont pitié. Elle me guide dans la défense de mes droits. Elle renforce mon sens critique face à la compréhension de ma situation de pauvreté: «Je prends ma part et je suis convaincue que le gouvernement et tous les autres ont aussi leur part.»

Ma générosité m'ouvre à mon entourage, brise mon isolement et me rend solidaire de tous ceux qui subissent la pauvreté.

Ma compétence comme parent me permet d'être continuellement consciente de mes forces et de mes limites. Elle me permet aussi d'aller chercher de l'aide lorsqu'il y a débordement.

Ma capacité d'aimer me donne confiance en moi et aussi, la force d'exprimer mes sentiments, de communiquer, d'accepter mon mari et mes enfants tels qu'ils se présentent et leur faire confiance. À chaque jour, je réalise le but qui m'est le plus cher au monde: «Garder ma famille unie et que chacun soit heureux».

«Je suis pauvre et non démunie,
je suis pauvre et non négligente,
je suis pauvre, fière, courageuse et digne,
je suis une pauvre aimable et aimée.»

Mireille, peut-être pour toutes ces raisons, revint à la maison le 11 novembre 1992 à quinze heures.

«... je t'aime ma grande fille». (Fin de l'enregistrement)

Il est tard, le boulot m'attend demain matin. Je m'endors, accrochée à ce moment de joie, de bien-être et de paix intérieure.

Signé:

Solange

(Texte composé par Suzanne Laliberté à partir du témoignage de Solange)

J'ADMIRE LA TENDRESSE ET LE RESPECT DE CETTE FEMME POUR SA FILLE. QUAND ON MANQUE DU NÉCESSAIRE LE DÉCOURAGEMENT NOUS GUETTE, MAIS L'AMOUR ET LA DIGNITÉ SONT ENCORE NOS MEILLEURS MOYENS

TA DOUCE FIERTÉ, JULIE, EST UNE DES MILLIERS DE RAISONS POUR LESQUELLES JE T'AIME.

BABU (TRADUCTION: ÇA VA LES ÉLANS DU CŒUR! MOI JE VEUX VOIR LES AUTRES HISTOIRES.)

QUAND LES ENFANTS NE SONT PLUS «ENFANTS»

Georges Savard
anthropologue
L'Équipe Pro-Sys inc., Sainte-Foy

«Bonne fête Éric!...» «Ma chère Chantal, c'est à ton tour...» Les anniversaires sont importants parce qu'ils marquent des étapes qui, si réelles soient-elles, pourraient passer inaperçues, au moins pour un temps. Même si le monde du 1er janvier n'est pas si différent de celui de la veille, on souligne de mille et une manières le passage d'une année à l'autre.

Pourquoi n'en est-il pas ainsi pour le passage de l'adolescence à l'âge adulte? Cela se fait dans certaines sociétés, mais pas chez nous. Serait-ce parce que cette transition s'effectue d'ordinaire en famille, là où se rencontrent deux générations pour qui cet événement n'a pas les mêmes résonnances? Pour les «ados», devenir adulte peut être perçu comme un gain, alors que pour les parents, le fait que les «enfants» soient devenus adultes peut être vu comme une perte.

Notons en passant que devenir adulte est un phénomène qui signifie beaucoup plus que le simple fait d'atteindre l'âge légal de la majorité: c'est une réalité complexe, évolutive et, dans certaines circonstances, réversible. De plus, comme parents et enfants n'ont pas toujours les mêmes critères pour évaluer la qualité adulte de quelqu'un et surtout parce que les parents ne peuvent facilement changer leurs habitudes de «parentage», ce sont presque toujours les «enfants» qui signalent à leurs parents qu'ils sont, de fait, devenus adultes.

C'est ce que nous apprend l'expérience vécue par une famille de quatre personnes où, en plus du père et de la mère, on compte au moment où commence l'histoire une fille de 21 ans, Chantal et un garçon de 23 ans, Éric, qui habitent toujours la maison familiale. Les familles d'origine du père et de la mère ont toutes deux des valeurs patriarcales fortes et des liens familiaux serrés.

D'abord, un regard rapide sur le passé. Chantal, à 12 ans, a quitté la maison, en plein hiver, à la noirceur, avec sa petite valise. Elle a dû revenir, cette fois-là, en moins d'une heure pour répondre à un besoin de la nature. Elle a pu par la suite faire oublier cette petite fugue à tout le monde. Mais elle cherchait sa voie à elle, avec de plus en plus de détermination. Elle s'est jointe, pour un temps, à l'Armée de réserve, puis au Collège, elle a pris des décisions qui lui coûtèrent quelques années supplémentaires d'étude. Elle a connu en même temps les joies et les peines d'amour intimes et précoces. Tout cela avait rendu la vie de la famille de moins en moins vivable pour les parents, devenus incapables de contrôler leur fille qui, par ses choix, se démarquait franchement de leurs valeurs.

Éric, lui, a fait des frasques, surtout à l'occasion de ses explorations dans le monde de la bière et de l'alcool. Il a commis des excès, mais pas à répétition. Il semblait pouvoir apprendre assez vite et, surtout, il investissait beaucoup d'énergie dans des activités réservées d'ordinaire aux grands enfants, comme la mobylette, ou aux adultes, comme les travaux manuels de toutes sortes. Avec le temps, à cause de ses habiletés, il devint un atout pour la famille.

Mais Chantal se comportait d'une manière qui semblait pour les parents de moins en moins tolérable. Selon eux, elle utilisait la maison comme un garage auquel on vient seulement chercher de l'essence: elle n'y apportait rien.

Pourtant les parents n'en étaient pas à leur première expérience. Le père avait connu des frustrations du genre avec son fils, quelques années auparavant, et avait trouvé le soutien nécessaire auprès d'un groupe de parents d'adolescents. Quant à la mère, en dépit d'une riche expérience en thérapie personnelle, elle avait peine maintenant à communiquer avec sa fille sans que cela ne tourne en explosion violente. Tout et rien pouvait mettre le feu aux poudres: un reproche, une remarque, une suggestion ou même une question. Avec Chantal, le père s'en tirait mieux à condition d'éviter les sujets tabous. Cette coexistence discontinue et frustrante était devenue invivable pour les parents.

La famille allait-elle survivre? Inquiets, le père et la mère décidèrent de tenter un dernier effort pour la sauver. Convaincus tous deux des bénéfices de la consultation familiale, ils crurent avoir trouvé la solution: aller tous les quatre en thérapie! À la première occasion, donc, le père explique aux enfants qu'il est rendu au bout de sa corde et que le climat familial ne pourra s'améliorer que si tous vont consulter ensemble. La proposition soulève peu d'enthousiasme chez les jeunes, mais ils acceptent et un rendez-vous est pris avec le psychothérapeute.

Après avoir fait connaissance avec chacun des membres de la famille, le thérapeute demande à chacun sa vision du problème. Le père, la mère, le fils et la fille s'expliquent. Les accusations pleuvent dru et les enfants tiennent bon. Le fils propose même ses solutions... il trouve que la discussion se prolonge inutilement, au point que le thérapeute doit lui rappeler qu'il est venu pour consulter et non agir comme consultant.

Après avoir bien écouté, le thérapeute s'excuse pour aller parler avec ses collègues (la consultation était, avec l'accord de la famille, enregistrée et en même temps visionnée par d'autres professionnels).

Quelques minutes plus tard, le thérapeute revient vers la famille et, à la surprise de tous, se dirige droit vers Chantal et lui serre la main en disant: «Mes collègues me prient de te féliciter pour ta façon de préparer la famille à la séparation qui s'en vient.» Étonnement et soulagement. Soudain, chacun comprend que bientôt, dans quelques mois peut-être, le problème n'existera plus. De toute façon, les «enfants» sont en âge de vivre de manière autonome et à l'abri de tout contrôle parental. Les parents ont compris qu'ils n'ont plus affaire à des «enfants», mais à de «jeunes adultes» et, désormais, ils utiliseront ces mots chaque fois que ce sera possible.

Mais il fallait plus que ça pour que les choses

changent à la maison, il fallait que chacun fasse son devoir et aussi, bien sûr, qu'il sache comment le faire. D'où la consigne suivante prescrite par le thérapeute: pour les prochains quinze jours, les parents se parleront entre eux, uniquement, et les jeunes adultes se parleront aussi entre eux et non avec leurs parents. Et voici qu'en quelques jours on put observer le résultat suivant: le climat de tension disparaît, les parents cultivent une nouvelle intimité, le frère et la sœur se parlent davantage et se rapprochent.

Il n'a pas été nécessaire de retourner en thérapie. En un peu plus d'un an, le nid s'est vidé, avec l'appui des parents et la collaboration des jeunes adultes. Le fils et la fille ont montré beaucoup d'intérêt à s'affirmer de manière autonome, sans pour autant hésiter — chacun à sa façon, toutefois — à garder le contact avec les parents et même, au besoin, à demander ou accepter encore leur aide. Par ailleurs, les parents ont aussi, dans certaines circonstances, reçu des «cadeaux». Le mode d'échange était mieux structuré avec Éric qu'avec Chantal. Pour celle-ci, la défense de son autonomie semblait accaparer beaucoup d'énergie et, peut-être même, l'isoler encore de sa famille. Tandis que pour Éric, il réussit à vivre *sa* vie, quelquefois en dépit de certaines réticences parentales, mais en conservant quand même des rapports réguliers et satisfaisants avec sa mère et son père.

MIEUX VAUT LES OISILLONS QUI VOLENT HORS DU NID QUE LES GRANDS OISEAUX QUI VOLENT LE NID.

MOI, JE SUIS PRÊTE À PARTIR. C'EST PAPA QUI NE VEUT PAS ME PAYER UN APPARTEMENT, MES ÉTUDES ET ME PRÊTER SA VOITURE.

QUAND TU AURAS UN TRAVAIL, TU ACHÈTERAS CE QU'IL TE FAUT.

MAIS LE TRAVAIL ÇA NE RÈGLE RIEN. REGARDE CE QUI ARRIVE DANS L'HISTOIRE SUIVANTE.

VIVRE POUR TRAVAILLER OU TRAVAILLER POUR VIVRE

Martin Dubois
travailleur social
L'Équipe Pro Sys inc., Sainte-Foy

Paul, 41 ans, est issu d'une famille éclatée. Ses frères et sœurs ont été placés en bas âge parce que leurs parents étaient trop perturbés pour les prendre en charge. Lui a été placé à cinq ans dans un orphelinat puis dans des centres d'accueil, appelés écoles de réforme à cette époque, parce qu'il manifestait de sérieux problèmes de comportement. Dans ces institutions, il a été abusé sexuellement par des religieux. À l'adolescence, il a vécu dans plusieurs familles d'accueil où le cycle «provocation-rejet» s'est poursuivi.

Un prêtre éducateur a suivi Paul dans son cheminement de l'enfance jusqu'à l'âge adulte. Il a été son modèle, sa référence, par ses enseignements, son comportement et sa ténacité. Il y a quelques années, ce guide s'est suicidé, laissant Paul dans la culpabilité et l'insécurité.

Après des années d'instabilité et de marginalité, Paul a fréquenté Jeanne, de deux ans son aînée, issue d'une famille aux valeurs matérialistes et pour qui le travail et le statut social avait une grande importance. Les parents de Jeanne auraient d'ailleurs mis un peu de pression sur le jeune couple pour qu'ils se marient.

Le défi était grand pour Paul, les standards de cette famille étant plutôt élevés. Cette union lui offrait cependant une belle occasion de se raccrocher à la société, de se ranger, et peut-être d'«appartenir à une famille», ce qu'il n'avait encore jamais connu au sens habituel du terme.

Ils se sont donc mariés et Paul a obtenu un emploi dans un organisme de la santé. Comme il était peu scolarisé, il a poursuivi ses études tout en travaillant, jusqu'à ce qu'il obtienne un diplôme collégial professionnel. Un seul emploi n'était pas assez payant pour impressionner son épouse et sa belle-famille, il a presque toujours cumulé deux postes à la fois ou fait beaucoup de temps supplémentaire.

Évidemment, le corps ne pouvait subir un tel

régime sans quelques suppléments. Paul a consommé des drogues et des médicaments excitants, s'approvisionnant parfois à même l'inventaire de l'institution, parfois sur le marché noir. Comme cela coûtait cher et qu'il devait rapporter beaucoup d'argent à sa famille, il a fait du commerce illicite, subissant ainsi des tensions supplémentaires.

Durant ce temps, le couple avait donné naissance à Roxanne et Jean-Marie. Ceux-ci étaient âgés de 17 et 14 ans lorsque j'ai connu Paul. Vous comprendrez que le père et les enfants se connaissaient très peu. L'épouse et les enfants ont vécu assez normalement, comme s'il ne fallait pas en rajouter à ce père qui n'aurait pu supporter plus de problèmes. Je suppose même qu'ils devaient l'attendre, espérer qu'il atterrisse un jour.

Pendant près de vingt ans, Paul a travaillé comme un fou, en croyant que c'était la bonne façon de satisfaire Jeanne et d'être un bon père pourvoyeur pour ses enfants. Considérant ses origines, il ne croyait nullement pouvoir leur apporter autre chose de bon. S'il y avait eu dans cette famille des mécanismes d'ajustement efficaces, un minimum de communication dans le couple, il y a longtemps que Paul aurait appris que Jeanne souhaitait moins d'argent et plus de vie de famille.

Les valeurs ne sont pas statiques, elles évoluent

avec les expériences. Jeanne avait eu de nombreuses années pour observer et réfléchir à la question, mais Paul n'en savait rien. Pourquoi n'a-t-elle pas provoqué une crise plus tôt? Difficile à dire.

Deux choses ont poussé Paul à se prendre en mains: sa santé et son incapacité à fournir un travail de qualité. Son corps était à la limite de sa tolérance, ses sens avaient perdu beaucoup de leur acuité; il tremblait, perdait le contact avec la réalité et le contrôle de sa personnalité.

Dans ces conditions physiques et mentales, il se savait inapte à faire son travail qui demande concentration et dextérité manuelle. De plus, il pouvait mettre en péril la santé et la sécurité des gens. Son entourage n'avait pas encore réagi formellement mais on voyait que des mesures d'encadrement professionnel ne devaient pas tarder. Je suis persuadé que la tolérance de l'employeur ne l'a pas aidé; on l'a laissé s'enfoncer trop longtemps, au risque d'accidents sérieux.

Paul a de lui-même et sans soutien cessé toute consommation de psychotropes. Avec les années, il avait utilisé des amphétamines et bien d'autres mixtures pour s'adapter aux exigences du travail, pour trouver le sommeil, pour oublier, etc. Après cinq jours de sevrage, il est arrivé à mon bureau dans un état pitoyable avec une petite lettre d'explication de ses états d'âme: désespoir, souffrance, déchirement et un tout petit espoir. Le lendemain, il réclamait d'urgence une cure fermée. En entrevue, notre contact a été bon, les remises en question fondamentales ont été amorcées et un embryon d'espoir s'est créé. Il est entré ce même jour dans un centre de thérapie, accompagné par Jeanne qui a fort bien collaboré. Un mois plus tard, il sortait avec un bagage de réflexion sur son passé et son avenir.

Je l'ai revu quelques jours après sa sortie. Il avait rajeuni d'au moins dix ans. Il avait été et était encore d'une lucidité et d'une détermination exceptionnelles. Il avait d'abord refusé d'être étiqueté alcoolique ou toxicomane mais s'était conformé aux exigences du Centre pour en tirer ce qui lui était utile. Pour lui, le 24 heures à la fois, le grand ménage des étapes 4 et 5, le recours à sa Force Supérieure et le soutien du groupe ont été salutaires. Par contre, il ne voyait pas l'utilité de l'étiquette, de l'abstinence à vie et de l'aveu d'impuissance face à l'alcool et aux médicaments.

Vers la fin de son stage, un jeune participant lui a dit qu'il aurait aimé avoir un bon père comme lui. Cela lui a redonné confiance et, dès son retour, il a repris contact avec Roxanne et Jean-Marie. Le dialogue avec Jeanne était d'une grande intensité comme s'ils voulaient rattraper les années perdues. Paul se plaignait un peu que Jeanne n'allait pas assez vite pour lui. Je l'ai aidé à voir que les autres n'avaient pas vécu comme lui durant ces années et qu'il devait respecter leur rythme pour reprendre la route avec eux. Il était un peu déphasé et devait reprendre le travail quelques semaines plus tard.

J'ai revu Paul un peu avant la fête de Noël pour conclure notre démarche. Je lui avais donné quelques tâches d'écriture par rapport à sa famille d'origine, ses abuseurs, ce prêtre qui avait joué un rôle de père, etc. Il avait tout fait et continuait à progresser grâce à tous les héritages qu'il avait trouvés. L'inquiétude qui lui restait était de passer Noël en famille sans pouvoir s'empêcher de pleurer. Je lui ai fait comprendre que ce serait très bien pour tous s'il pleurait librement. Cela montrerait à ses enfants, surtout à son fils, qu'il est permis de pleurer et d'exprimer sainement ses émotions.

Paul se sentait malhabile pour choisir les cadeaux, connaissant mal les goûts des siens. Je lui ai suggéré de porter un genre de chapeau rouge et blanc, d'écrire un petit texte pour chacun des membres de sa famille et de se donner lui-même en cadeau, étant persuadé que personne ne réclamerait un bijou ou une cassette après cela. Il ne s'imposait plus de performances et pouvait prendre du temps avec eux. Il avait vécu des hauts et des bas mais cela lui avait servi à évoluer, à expérimenter les émotions à froid.

Cette histoire peut sembler plus représentative d'un problème de dépendance aux médicaments mais cet aspect a été mineur, accessoire pour Paul. D'ailleurs, ce n'est pas là-dessus que nous avons investi mais sur sa conception du rôle qu'il avait à jouer dans sa famille. Mon rôle a été mineur, c'est Paul qui a fait le travail, sa famille l'a attendu et soutenu, malgré tout.

Quatre mois plus tard, lorsque j'ai demandé à Paul l'autorisation de publier son histoire, il m'a raconté avoir vécu une autre crise. Lorsqu'il a été hospitalisé en psychiatrie, il s'est rappelé que le prêtre, qui était son modèle, avait abusé de lui et ce souvenir lui fut intolérable. Cependant, après en avoir parlé avec sa famille, il s'est relevé très rapidement sans aide chimique ni fuite dans le travail.

237

LE TRAVAIL PEUT ÊTRE TRÈS BEAU. TOUT DÉPEND DE LA FAÇON DONT ON L'EXERCE ET DE LA PLACE QU'IL TIENT DANS NOTRE VIE. MOI J'AIME MON TRAVAIL ET J'AIME MA FAMILLE.

SI J'AVAIS COMMENCÉ À VIVRE JUSTE APRÈS MA RETRAITE J'AURAIS MANQUÉ DES BEAUX MOMENTS

DES PARENTS
QUI VIEILLISSENT

Marie-Andrée Caron
travailleuse sociale
CLSC Limoilou, Québec

Aujourd'hui Thomas Dubé, 79 ans, a été enterré. Les huit enfants, réunis à la maison paternelle par le décès subit de leur père, ne s'étaient pas retrouvés ensemble depuis les noces d'or de leurs parents, il y a neuf ans. La moitié d'entre eux se préparent d'ailleurs déjà à repartir précipitamment vers Moncton, Sept-Îles, Toronto et sa banlieue, appelés par leurs obligations personnelles, là où ils ont établis de nouvelles racines, une vie de famille et des projets. Sur le pas de la porte, certains disent et redisent à Thérèse, l'aînée, qu'ils lui font confiance, lui donnent «carte blanche» et endossent à l'avance ses décisions. D'autres se taisent, embrassent rapidement Blanche, leur mère de 81 ans, et s'en vont. «Ils se sauvent» pense Thérèse, l'aînée, l'exécutrice testamentaire, l'organisatrice des noces d'or.

Thérèse, Jeannine, Yolande et Robert, «ceux de Québec» comme disent «les autres», vont bientôt se retrouver seuls avec Blanche, leur mère. Ils sont tristes, étourdis par la vitesse des événements mais surtout inquiets. En particulier Thérèse qui a le sentiment que son père est parti en lui confiant une lourde responsabilité: veiller sur Blanche qui ne peut rester seule.

Blanche, en effet, a beaucoup changé depuis trois ans: elle n'entretient plus la maison, ne pense plus à préparer les repas ni à changer de vêtements. On la retrouve invariablement assise dans sa berceuse, près de la cage des pinsons. Blanche «la joyeuse», comme l'appelait Thomas, sourit passivement. Avant de mourir, Thomas a dû progressivement devenir le cuisinier, l'homme de ménage, le gardien et la mémoire de Blanche qui oublie. «Maladie d'Alzheimer», a dit le médecin, pour expliquer son changement de comportement.

Thérèse, Jeannine et Yolande avaient donc pris l'habitude de venir à la maison donner un petit coup de main chaque semaine. Thérèse faisait l'épicerie. Jeannine aidait son père à cuisiner et Yolande coiffait sa mère et entretenait les vêtements. Robert, le seul garçon installé à Québec, venait souvent visiter ses parents, mais il se fait plus rare depuis son hospitalisation pour une dépression.

Au moment du décès de Thomas, Thérèse, après avoir consulté son mari, a pris une décision rapide. Sa maison est grande, ses enfants partis. Elle amènera donc sa mère vivre avec eux. Elle a reçu l'accord de ses frères et sœurs qui sont soulagés par cette décision. Mais les choses ne se passent pas comme elle l'avait prévu et c'est ce qui l'inquiète. Sa mère s'oppose à cette décision et veut rester chez elle, ne réalisant pas son incapacité à demeurer seule. Au moment de quitter la maison paternelle, ils ont l'impression d'arracher Blanche à elle-même pour la conduire chez Thérèse. Yolande et Jeannine cherchent à encourager leur sœur en lui répétant: «Elle s'habituera; ce n'est qu'une question de temps.» Thérèse s'accroche à cette idée: elle voudrait bien y croire.

Au bout de dix jours, rien ne va plus. Thérèse qui est fatiguée, panique et téléphone à ses sœurs: «Je n'en peux plus.» Blanche «la joyeuse» est devenue dépressive, circule la nuit, parle constamment de retourner à sa maison et refuse de manger. Elle est méconnaissable. La situation paraît sans issue: Blanche, qui ne peut demeurer seule, refuse de vivre chez Thérèse et encore plus d'aller en centre d'accueil.

À la suggestion de son mari, Thérèse téléphone au CLSC et les informations qu'elle obtient n'ont rien d'encourageant: il y a des listes d'attente d'un an pour le Centre d'accueil, et le CLSC ne peut fournir d'aide 24 heures par jour pour que Blanche vive en sécurité à son domicile. La travailleuse sociale visitera cependant Blanche; elle propose une rencontre familiale pour discuter de la situation. Thérèse, Yolande et Jeannine acceptent de se rendre à l'invitation.

La première rencontre au CLSC est chargée d'émotion. Jeannine, qui est veuve et travaille à temps partiel, fait une offre inattendue: elle est prête à s'installer avec sa mère dans la maison paternelle et à en prendre soin. Cela suppose cependant qu'elle quitte son emploi et son logement. Soulagées, ses sœurs appuieraient vite cette idée mais la travailleuse sociale propose la prudence: pourquoi ne pas commencer par un essai pour que Jeannine puisse bien mesurer les difficultés et les exigences de son projet avant de prendre une décision définitive?

Au fil des mois, plusieurs rencontres ont lieu au CLSC; les émotions et les enjeux reliés à la situation se clarifient et se précisent. Le projet de Jeannine devient le projet du groupe. Pour qu'il puisse être viable, on s'organise. Yolande et Robert remplacent

Jeannine deux soirs par semaine et une fin de semaine par mois pour lui donner du répit. Thérèse entreprend des démarches pour obtenir un régime de protection pour sa mère en raison de ses incapacités et du patrimoine à gérer. Une allocation financière est versée à Jeannine pour ses services, mais cette dernière décision n'aura pas été sans heurt. Roger, qui demeure à Sept-Îles, proteste et accuse Jeannine de profiter de la situation. Thérèse prétend au contraire que ce n'est que justice de donner à Jeannine une forme de reconnaissance financière. Roger rétorque que Thérèse cherche à tout régenter comme à l'habitude et il tente de s'allier Robert contre elle. Le climat est tendu. Il y a escalade de blâmes, de cris et de larmes, mais ceux qui pleurent ne savent parfois plus très bien si c'est de peine ou de rage. Yolande et Maurice, les deux médiateurs naturels de la famille, finissent par calmer les esprits à force d'appels interurbains et de pourparlers. Ils rétablissent la paix et les communications en rappelant qu'au-delà des conflits, c'est le bien-être de Blanche qui est en jeu. On s'entend finalement quant au montant d'une allocation financière qui, de toute façon, est moins coûteuse que le coût d'un hébergement.

À son retour chez elle, Blanche a retrouvé le sourire et le calme, mais son autonomie continue de diminuer. Elle cherche de plus en plus ses mots pour s'exprimer, elle a besoin d'aide pour s'habiller et doit porter des couches parce qu'elle est incontinente. Quand Maurice est venu de Toronto récemment, elle ne l'a pas reconnu. Mais ce qui trouble le plus ses enfants, c'est qu'elle a commencé à appeler Jeannine «maman» et qu'elle prend Robert pour son frère décédé depuis vingt ans. Lorsqu'elles ne comprennent pas les réactions de leur mère, les filles en discutent avec la travailleuse sociale et cherchent à identifier les attitudes à adopter pour composer avec ses comportements difficiles.

Dix mois se sont écoulés depuis la mort de Thomas. Jeannine a acquis de la compétence et de nombreux petits trucs pour faire face aux problèmes causés par la perte d'autonomie de sa mère. C'est avec l'humour et la tendresse qu'elle fait tomber les résistances que Blanche élève lorsqu'elle veut la baigner ou la changer de couche. Blanche s'abandonne de plus en plus à ses filles. Celles-ci, qui remettaient constamment à plus tard la demande d'hébergement en centre d'accueil, prennent la décision de passer à l'action car Jeannine, bien qu'elle demeure motivée, commence à sentir ses limites et les exprime. Le groupe de Québec contacte les autres membres de la famille qui ne font aucune objection à leur décision. Lorsque la demande d'hébergement est faite, l'appréhension des filles se cristallise sur le jour de l'admission: comment amener Blanche au centre d'accueil sans la trahir? Elle s'était toujours opposée à cette idée et prenait plaisir à répéter le dicton: «Vaut mieux un petit chez-soi qu'un grand chez les autres.» Les neuf mois que dureront l'attente de l'hébergement seront vécus dans l'ambivalence: les enfants sont déchirés entre la hâte d'obtenir une place au centre d'accueil, car Jeannine se sent de plus en plus captive, et la peur du jour de l'admission. Thérèse, qui gère l'argent de Blanche, renouvelle la garde-robe de sa mère, sentant le besoin de la gâter, et ponctue ses visites d'exclamations comme celle-ci: «Regarde maman la belle robe que je t'ai achetée.» Et Blanche de sourire pour lui répondre.

Arrive enfin le jour tant craint: un an et demi après la mort de Thomas, on offre une place au centre d'accueil pour Blanche. Thérèse, Jeannine et Yolande sont prêtes. Elles ont déjà visité la résidence. Le jour du départ, Blanche les accompagne sans opposition car ses filles sont calmes et rassurantes. Blanche ne comprend pas où elle s'en va. Lorsqu'elle arrive à sa chambre, Thérèse lui dit spontanément selon son habitude: «Regarde maman la belle chambre que je t'ai achetée.»

Après avoir laissé leur mère, les filles vont prendre un café chez Robert: ils pleurent, se consolent mutuellement, se remémorent les péripéties de la dernière année et concluent qu'ils ont fait leur possible. Durant les premières semaines, Blanche est agitée. Peu à peu, elle retrouve son calme et s'adapte à son nouveau milieu de vie.

Un an déjà que Blanche a quitté sa maison. Robert, Yolande et Thérèse la visitent régulièrement même si elle ne les reconnaît plus. Jeannine fait du bénévolat au centre d'accueil où réside sa mère. Quant à ceux qui vivent à l'extérieur, ils ne sont pas venus à Québec depuis plusieurs mois.

LE SAVOIR-MOURIR

Yvon Bureau
travailleur social
Centre François-Charon, Québec

AA comme Alice et Adrien. Leur vie est simple et ordinaire. Extraordinaire dans l'ordinaire, car seul l'ordinaire serait important, selon eux.

Alice cache bien ses soixante-trois ans. Mère de cinq enfants et grand-mère de quatorze petits-enfants: ses fiertés. Ce dont elle est fière aussi, ce sont ses trente années d'enseignement au primaire. «En plus d'avoir élevé mes cinq enfants, j'en ai *parti* dans l'écriture, en première année, plus de huit cents autres!» Depuis dix années, elle se tient près de ses proches et se rapproche d'elle-même. «J'apprends jour après jour à écrire dans le livre de mon cœur. Le

251

pire, mais l'intéressant aussi, c'est de me lire et de me comprendre... et de me pardonner.» En un mot, Alice est heureuse en elle-même, en couple, avec sa famille, dans sa maison et dans son jardin.

Adrien n'a pas eu le même succès. Ses soixante-cinq ans se présentent sous l'allure des soixante-quinze. Époux et père assez heureux, grand-père chaleureux en gestes, mais avare en paroles, il n'a guère à se plaindre. Ainsi, il est heureux de sa retraite et malheureux d'avoir quitté son travail de secrétaire municipal. Il voudrait écrire, mais la page blanche le bloque. En attendant, il lit, silencieusement.

Adrien est encore plus silencieux depuis qu'il a appris de son médecin, il y a deux ans, qu'il était atteint d'un cancer à la prostate et que des métastases commençaient à se répandre ailleurs dans son corps. Moins actif dans l'entretien de la maison ou du jardin, il devient agité intérieurement, silencieusement. Sa discrétion, et son habitude du secret professionnel quand il était secrétaire municipal le suivent même dans ses relations avec sa conjointe et avec sa famille. Il parle de tout et de rien, mais surtout pas de lui-même.

Une femme de plus en plus près d'elle-même, de ses émotions. Un homme de plus en plus prisonnier du silence. Un couple sans histoire. Une famille plus près de la mère que du père.

La fin de la vie vient de s'annoncer pour Adrien. Un de ces maux de ventre terrible et qui ne lâche pas depuis minuit. Après six heures de douleurs, il implore sa femme de venir le rejoindre dans son lit; ils font chambre à part depuis cinq ans. Alice demande l'ambulance, sans tarder. Bien avant la parole, le corps d'Adrien avait parlé. Dans l'attente des ambulanciers, il avoue timidement à sa femme que sa prostate et ses environs ne faisaient plus bon ménage depuis un certain temps. À l'Urgence, il se retrouve seul parmi une foule de soignants, angoissé et regrettant ses silences avec les siens. En quelques secondes, il est envahi par le désir profond de les presser tous dans ses bras et de leur parler de vie. Une douleur nouvelle apparaît, au cerveau. Intense. Totale. Une veine se rompt. Et le silence s'installe en maître, pour toujours. Le cœur et les poumons ne répondent plus. Branché de partout, Adrien se retrouve aux soins intensifs.

Épouse et famille s'affolent et se rassemblent autour de lui. Qu'est-ce qui est arrivé? Était-il malade avant? Va-t-il revenir à la normale et normal? On parle de l'opérer au cerveau et peut-être au cœur. «Bien sûr!... Peut-être?... Pourquoi pas?... Ça dépend... Est-ce utile?... Pourquoi?... Docteur, faites tout ce que... Docteur, laissez le bon Dieu venir le chercher, il est fini...»

Alice et ses cinq enfants se retrouvent quelques jours plus tard dans le bureau du médecin et de l'infirmière en chef. Le diagnostic est net: accident cerébro-vasculaire grave avec pronostic presque nul de récupération. Il sera paralysé tant physiquement que mentalement. Les dommages au cerveau sont irréversibles. Des opérations au cerveau, au cœur, à la prostate s'avèrent urgentes pour permettre à Adrien de survivre. Une signature d'un membre de la famille est exigée au bas du formulaire de consentement. Adrien n'avait fait que son testament ordinaire, pour léguer ses biens en cas de décès, et pour acheter un lot au cimetière de la paroisse. Pas de mandat en cas d'inaptitude pour la gestion de ses biens et de sa personne, pas de testament biologique. Il était demeuré silencieux sur ses volontés de fin de vie. Sans indications, les autres doivent maintenant décider pour lui.

Alice ne veut pas décider sans l'accord de tous ses enfants; en bout de ligne, elle sait que c'est elle que la Loi désigne pour consentir aux soins ou les refuser. Chacun, à partir de ses valeurs et de son expérience, exprime ce qui lui paraît être le mieux pour le père. Le plus vieux des enfants sent en plus, à tort ou à raison, une pression sur ses épaules. Certains sont pour qu'on le laisse partir en paix, en prenant bien soin de lui assurer un départ sans douleur.

D'autres penchent plutôt pour qu'on essaie le tout pour le tout, par amour pour leur père. Les tensions, les engueulades, les menaces même viennent briser les liens de famille. Les opinions des belles-sœurs et beaux-frères s'ajoutent; viennent enfin celles des frères et des sœurs d'Adrien. Pour comble, les soignants sont partagés sur les interventions chirurgicales possibles. Tout cela dure pendant près de six jours. La fatigue et la nervosité se font sentir. Alice ne s'y retrouve plus, tant en elle-même qu'avec ses proches désunis dans le noir des grandes décisions de vie et de mort.

Adrien vient à la rescousse. Une dernière fois, son cœur prend la parole: un infarctus fatal. La réanimation cardio-pulmonaire ravive le désaccord. Les malaises et la désunion assiègent la famille, laissée sans lumière, sans expression de volonté de fin de vie. Le décès d'Adrien vient mettre fin au tumulte médical. Mais l'esprit de famille va encore en prendre un coup.

Il faut choisir si Adrien va être enterré ou incinéré, s'il y aura ou non exposition du corps au salon funéraire et si oui, pendant combien de jours, s'il n'y aura que de la musique ou des chanteurs... Chacun y met son grain de sel, des enfants jusqu'aux petits-enfants, en passant par les gendres et les brus, les tantes et les oncles.

En plus de la tristesse liée à ces événements (l'exposition, le service, la mise en terre), la distance, l'éloignement des membres de cette famille s'amplifient. C'est là le grand drame, beaucoup plus que le départ d'Adrien. Suivent un infarctus du plus vieux des enfants, une dépression du dernier, des difficultés scolaires chez deux des petits-enfants. La fréquence des visites entre frères et sœurs diminue de moitié, les oncles et les tantes demeurent chez eux plus qu'à l'accoutumée. Quant à Alice, elle est encore sous l'effet d'un choc. Tout ce qui a entouré le départ de son mari l'a profondément marquée. Et la douleur est encore intense et vive. En silence elle pense, elle entretient son jardin, ses plates-bandes, sa propriété devenue trop grande pour ses besoins et pour ses projets d'avenir.

Une année passe. Alice consulte une travailleuse sociale, Nathalie. Elle l'avait remarquée, lors du dernier séjour d'Adrien, à l'hôpital; le médecin l'avait mandatée au milieu des tensions familiales. Ses interventions avaient peu marqué, mais son attitude de respect, de compréhension, de compassion et de solidarité avait impressionné Alice. Au CLSC de son quartier, Alice la rencontre chaque semaine; Nathalie y travaille à mi-temps. En entrevue, Alice comprend vite qu'elle travaille sur elle-même et sur ses choix. Le passé, elle le laisse aller. Le présent, elle l'accueille courageusement et lucidement. Le futur, elle en fera un présent porteur d'union et de paix, d'abord pour elle-même, et ensuite pour sa famille.

Alice vend sa maison et s'installe dans un logement près de la bibliothèque et du parc municipal. Elle a partagé cette décision avec tous ses enfants et ses petits-enfants, un bon dimanche après-midi. Elle avait bien pris soin de les inviter à l'aide d'une carte fort originale et personnalisée. Elle leur a simplement demandé de respecter sa volonté. Et cela permettait à sa famille de se situer sur le chemin de la réconciliation.

Alice ne cultive plus son jardin. Elle cultive maintenant ses relations avec ses enfants, ses gendres et ses belles-filles, ses petits-enfants ainsi qu'avec ses frères et ses sœurs. Elle prend bien soin de les visiter et de les recevoir dans son appartement plein de lumière. C'est la présence de ces grandes fenêtres qui l'a poussée à le louer. Le soleil, le matin, et encore le soleil, le soir. Maintenant elle peut contempler les couchers de soleil tout à son aise.

Lors de ses conversations, elle parle très peu du passé. Elle vit le moment présent à la lumière d'un futur serein et responsable. Elle se rend bien compte que sa santé est précaire. Ses poumons semblent bien près de lui faire faux bond; de légères taches l'exprimaient ainsi. Alice passe donc plus de temps au parc et devant le coucher de soleil. Sauf le dimanche.

Ce jour-là, c'est le brunch familial à l'appartement, avec l'aide d'un traiteur, s'il vous plaît! De brunch en brunch, elle apprend à tous l'état de sa santé. Elle est persuadée que la peine serait plus grande s'ils n'étaient pas tenus au courant. Leur révéler avec courage sa situation actuelle, c'est leur donner une importante marque de confiance. Avec sagesse et fierté, elle leur parle de ses émotions et de ses choix.

Elle ne recevra pas de traitements de chimiothérapie; elle les a refusés, après avoir reçu toute l'information sur les avantages, les inconvénients et les risques. Alice, grâce à Nathalie, sa travailleuse sociale, avait déniché une femme médecin très compréhensive et sensible, pour qui le malade passe bien avant les protocoles. Ce sont les volontés de la personne en fin de vie qui fondent sa dignité et sa liberté. Grâce à ce médecin et aux services du CLSC, Alice veut mourir à la maison, près de la fenêtre, à l'ouest. Sans «chimio», elle sait qu'il lui reste environ six mois à vivre, à se préparer à partir, en pleine possession de sa parole.

Alice parle. Elle se révèle à qui veut bien l'entendre, sans jamais forcer quelqu'un à l'écouter. «M'écouter est un risque. Vous ne découvrirez probablement pas celle que vous vous imaginez...», s'amuse-t-elle à dire, mi-sérieuse mi-légère. La plupart de ses proches prennent ce risque, ce beau risque, celui de l'intimité. D'autres non; elle leur répond par un sourire respectueux.

Alice écrit. Elle rédige ses volontés de fin de vie, au cas où la lucidité lui ferait faux bond, en un tour de main. Après avoir été éclairée par une infirmière qui a de l'expérience auprès des mourants, elle précise ce qu'elle veut et ce qu'elle refuse comme traitements de fin de vie, en pleine harmonie avec sa conscience. Par mandat, elle désigne sa fille la plus âgée, non pour décider à sa place, mais pour décider ce qu'elle déciderait, elle, Alice, si elle était lucide. De ces nuances, elle entretient ses proches. Parfois avec des larmes, souvent avec des caresses sans fin. Ses geste ont déjà la saveur et l'allure d'un autre monde.

Alice s'exprime sur cassette-vidéo. Secrètement, elle fait connaître son testament d'enfant, de jeune fille, d'épouse, de mère, de grand-mère, d'amie. Un des plus vieux de ses petits-enfants la seconde dans cette forme d'expression; il est le seul à connaître cette initiative de derniers jours. «Une fantaisie avec des ailes de continuité», lui dit-elle, pour le rassurer, pour nourrir ses rêves. Selon Alice, des grands parents, c'est fait pour propulser les petits-enfants à la hauteur des rêves, les parents s'occupant de garder leurs pieds sur terre.

Alice exprime clairement ses intentions d'être incinérée, après avoir été veillée pendant vingt-quatre heures à la maison, avec chandelles et beaucoup d'encens. Pas d'embaumement ni d'autopsie. Un service religieux avec ses cendres et une grande photo d'elle, déjà toute prête, dans son garde-robes secret. Ses cendres seront déposées près de la tombe de son Adrien. Avec le curé du village, elle choisit ses lectures et ses chants; en heureuse complicité, ils conçoivent une homélie et la dédient au *Verbe fait chair*, la Parole. Elle rappelle au prêtre de ne pas oublier l'encens, beaucoup d'encens, aux funérailles. Pour Alice, le silence, c'est l'enfer; le ciel, c'est la parole qui se révèle et qui ne cesse de se livrer. Pour elle, quand quelqu'un se dit et exprime ses choix libres et éclairés, la place est au respect et à l'union. Le silence apporte avec lui les tensions, les chicanes, la maladie et parfois la mort.

Lors de son avant-dernier mois de vie, elle partage ses biens équitablement entre tous, sans oublier un souvenir bien personnalisé pour chacun. En accueillant chacun, l'un après l'autre, elle offre ses avoirs et elle partage surtout son être et son devenir, au rythme de la capacité de chacun. Ainsi elle fait ses adieux, lentement, prenant soin de bien cultiver le jardin de chacun.

Le dernier mois, elle le passe plutôt seule avec elle-même, accompagnée de rares personnes bien vivantes. Pour Alice, seul le plein de vie doit accueillir la mort. À sa demande, une amie lui installe un système stéréophonique et lui apporte des disques compacts en quantité quasi illimitée, seulement de la musique des grands auteurs classiques.

Alice ne souffre pas, lors de son agonie. En la regardant bien dans les yeux, les mains dans ses mains, elle avait bien exprimé au médecin son désir de ne plus souffrir. Sans gêne, des médicaments de qualité lui sont administrés au besoin. Pour Alice, la douleur n'a plus sa place; seule est la bienvenue la souffrance des adieux et du départ. En toute logique, elle demande d'arrêter l'alimentation et l'hydratation; elle se souvient de son chat agonisant qui avait fait ainsi. Il est son guide. Tout se passe selon ce qui avait été préparé avec la travailleuse sociale et la médecin du CLSC.

En ayant ainsi vécu sa fin de vie et son agonie, Alice unit ses proches dans le respect de ses volontés. Après leur avoir montré le savoir-vivre, elle leur enseigne maintenant le savoir-mourir.

Alice quitte ce monde, en famille, selon ses volontés, en parlant...

AA comme Alice Ailleurs.

LES PETITES HISTOIRES DU QUOTIDIEN

Gilles Proulx
enseignant et intervenant bénévole
Maison de la Famille, Lotbinière

André, le dentiste. Francine a pris rendez-vous chez le dentiste. Une dent lui fait mal… si mal depuis quelques jours que cela la rend irritable et l'empêche de dormir.

— Je viens me faire extraire une dent et tant qu'à y être, docteur, enlevez-moi donc les six autres qui ne sont pas cariées.

— Asseyez-vous donc, on va prendre le temps d'examiner cela.

André, le dentiste, prend une radiographie des dents, les sonde, les examine et dit:

— Ce serait regrettable d'extraire cette dent, certes elle est dans un piteux état, mais je crois qu'avec un traitement de canal pour celle-ci, une couronne sur celle-là et quelques obturations, on pourrait sauver toutes les dents.

Et il continue: «Madame, je sais que vous avez mal et que vous voulez en finir et je vous comprends, mais ce serait une erreur de vous priver de vos dents naturelles pour le reste de votre vie. Vous me remercierez plus tard!»

Pierrette, la notaire. Nicole et Michel sont mariés depuis neuf ans. Ils ont eu de fréquents accrochages, mais, depuis l'arrivée du deuxième enfant, on dirait que ces occasions sont de plus en plus fréquentes, d'autant plus que Luc travaille alternativement avec trois horaires. Constatant leur incapacité de s'entendre, ne pouvant plus se voir, ils en viennent à la conclusion que, pour le bien des enfants, il vaut mieux divorcer que de continuer à s'engueuler ainsi tout le temps.

Ils arrivent chez la notaire, décidés à en finir au plus vite au prix de concessions déjà acceptées. Nicole garderait la maison, aurait la garde des enfants et le revenu du loyer du sous-sol lui servirait de pension alimentaire. Michel pourrait prendre les enfants avec lui une fin de semaine sur deux et garder l'auto presque neuve.

Pierrette, la notaire, informe le couple que, en vertu de la Loi sur le patrimoine familial, elle ne peut accepter ces arrangements. Il faut regarder l'ensemble de la situation pour ne pas regretter l'arrangement auquel le désir d'en finir vous fait consentir trop vite. «Vous me remercierez plus tard!»

Marcel, le plombier. Louis et Gisèle, ayant décidé de refaire le sous-sol de leur maison, en profitent pour ajouter une douche dans la salle de bain. Marcel, le plombier, vient faire l'estimation et il propose au couple d'ajouter un régulateur afin qu'il n'y ait pas de brusques changements dans la température de l'eau en bas lorsqu'on utilise l'eau en haut. Et Marcel de dire: «Je sais que ça va vous paraître un luxe, mais moi aujourd'hui, ou je pose ce gadget ou je ne fais pas l'ouvrage. Vous me remercierez plus tard!»

Vous me remercierez plus tard! Quand je vois des «professionnels» prendre ainsi soin de nous, même si ce n'est pas l'objet initial de la demande; quand je vois toutes les précautions qu'on prend pour épargner.une dent, un patrimoine ou contrôler la température de l'eau... Quand je vois des professionnels affirmer, proposer, imposer d'autres alternatives au risque de perdre un client, je me demande comment il se fait que des professionnels soient si clairs, si affirmatifs, si persuasifs ailleurs et que d'autres «professionnels» deviennent si tolérants, si silencieux, si pusillanimes, quand il s'agit du couple ou de la famille?

Vous me remercierez plus tard? Martin disait: «Quand il y a une crise, c'est le signe que dans le couple il y a quelque chose de fini et cela doit changer. Mais cela ne veut pas dire que tout soit fini et qu'il faille envoyer l'amour avec l'eau de l'évier.»

Jules et Diane sont mariés depuis seize ans; ils ont trois enfants. Leur vie, comme celle de milliers de couples, est faite de joies partagées, de projets réalisés. Cependant l'usure du temps et les frictions leur ont mis les nerfs à fleur de peau.

Ce n'est pas d'hier que Jules, comme on dit, lève le coude; mais depuis quelques années les sorties sont plus nombreuses, les rentrées plus tardives et les coudes plus amochés.

Diane qui a tout tenté, reçu cent fois les mêmes promesses et constaté les mêmes rechutes, déclare calmement un jour: «C'est fini-n-i-ni, fini, je pars.» Et elle est partie.

266

Alors Jules se dégrise et prend conscience… Cette fois, c'est sérieux, il le sent, il le sait.

Reconnaissant qu'il est allé trop loin et que la situation ne peut plus durer, il accepte de se faire aider. Il propose à Diane, qui a entrepris des démarches de divorce: «Avant de mettre fin à notre mariage, veux-tu que nous nous donnions seize mois, un mois par année de mariage, pour essayer sur d'autres bases en se faisant aider?»

Durant les sept mois qui suivirent, Jules et Diane se sont fait accompagner, se sont fréquentés et … ils fêteront l'an prochain leur trentième anniversaire de mariage.

Lumière rouge — aucun arrêt — Choc, accident… À première vue, on déclare rapidement perte totale et pourtant… en se donnant du temps…

Gérard et ses voisins. Chaque jour de l'An, les premières personnes à qui Gérard va offrir ses vœux, après ses enfants, ce sont ses voisins. Pareille habitude peut paraître surprenante et pourtant…

Gérard explique cette coutume qui date de plusieurs années: «Sache mon gars, lui disait son père, que c'est important de prendre soin de ses voisins… Ce sont eux qui sont les plus proches et dont tu peux avoir le plus besoin quand une urgence se produit.»

Prendre soin... c'est l'art d'être en bons termes, c'est soigner les relations tout en restant chacun chez soi.

À qui Claude a-t-elle téléphoné quand René a eu une attaque cardiaque? À son voisin.

Mon père et ses habitudes. Mon père avait l'habitude de dire: «Prenez l'habitude de faire votre lit en vous levant; de placer vos souliers en entrant; de vous brosser les dents; de vous laver les mains avant les repas...»

Prenez l'habitude de frapper avant d'entrer; de tendre la main et de dire bonjour; de dire merci quand on vous donne quelque chose. «On est pris avec des habitudes, aussi bien choisir les bonnes...»

Quelles sont nos habitudes de couple, de famille?

Chez certains, on a pris l'habitude d'éteindre le téléviseur pendant les repas; d'attendre que tout le monde soit servi avant de commencer à manger; de se raconter sa journée les uns aux autres; de prendre les mêmes places à la table; de prendre le café au salon; d'aller marcher pour la santé; de manger «en famille» le dimanche soir.

CONCLUSION

«C'EST LE GROS BON SENS. QUAND ON L'OUBLIE ON PAYE POUR.»

«C'ÉTAIENT VRAIMENT DE BELLES HISTOIRES.»

«JE SUIS CONTENTE DE VOIR QU'IL Y A DES FAMILLES COMME LA NÔTRE QUI VIVENT DES DIFFICULTÉS ET QUI S'EN SORTENT.»

«À CONDITION QUE LES SPÉCIALISTES LES RESPECTENT ET LES ÉCOUTENT VRAIMENT.»

«LA FORCE D'UNE FAMILLE PEUT SURMONTER N'IMPORTE QUELLE ÉPREUVE À CONDITION D'ÊTRE RECONNUE.»

«MÊME DANS UNE SOCIÉTÉ AUSSI INDIVIDUALISTE QUE LA NÔTRE LES FAMILLES SURVIVENT, C'EST VRAIMENT ÉTONNANT.»

«ON A BEAU DIRE, L'AMOUR EST ENCORE LÀ!»

«MOI AUSSI JE T'AIME PAPA, TU SAIS.»

«MERCI POUR LES HISTOIRES.»

«BABU, BABU!»
(TRADUCTION:
C'EST PAS TOUT, ÇA;
J'AI FAIM
MOI!)

TABLE DES MATIÈRES